Wolff, Oscar Ludwig

Orientalen und Balladen

Wolff, Oscar Ludwig Bernhard

Orientalen und Balladen

Inktank publishing, 2018

www.inktank-publishing.com

ISBN/EAN: 9783747780367

All rights reserved

Orientalen und Balladen.

Deutsch

von

O. L. B. Wolff.

—◆—

Frankfurt am Main, 1838.

Druck und Verlag von Johann David Sauerländer.

Vorwort des Ueberſetzers.

Unvorbergeſehene Hinberniſſe haben bie Uebertragung ber Orien=
talen wiber Willen über Gebühr verzögert; mein Freund Freiligrath,
ber ſich gemeinſchaftlich mit mir bazu verbunden hatte, mußte bie
Arbeit ſpäter, aus gewichtigen Gründen wieder aufgeben, und konnte
nur einige wenige Stücke beiſteuern, welche ſämmtlich mit ſeiner
Chiffre bezeichnet ſind. — Hinſichtlich ber von mir gelieferten Ueber=
ſetzungen habe ich, nur zu bemerken, baß Treue bes Inhalts wie ber
Form bie Hauptaufgabe blieb, aber überall ba, wo ber franzöſiſche
Dichter ſich in Spielereien und wunberlichen Geſtaltungen gefiel, bie
bem Geiſte unſerer Sprache durchaus zuwiber ſind, und ohne ihm
ben größten Zwang anzuthun, nicht nachgebilbet werden konnten, bie
letztere lieber in etwas aufgegeben wurbe, um ber erſtern nicht zu
nahe zu treten. — Ich that es in ber feſten Ueberzeugung, jeber Kenner
werbe mir hierin beiſtimmen.

Jena im Auguſt 1838.

Wolff.

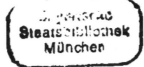

Der Verfaffer diefer Sammlung gehört nicht zu Denjenigen, die der Kritik das Recht einräumen, den Dichter über feine Phantafie zur Rechenschaft zu ziehen und ihn zu fragen, warum er jenen Gegenstand gewählt, diefe Farbe gerieben, von jenem Baume gepflückt, aus diefer Quelle geschöpft habe. Ist das Werk gut oder schlecht? Das ist das ganze Gebiet der Kritik. Uebrigens weder Lob noch Tadel für die angewandten Farben, fondern allein hinfichtlich der Weife, in welcher fie angewandt wurden. Betrachtet man die Sache von einem etwas höhern Standpunkte aus, so gibt es in der Poefie weder gute noch schlechte Gegenstände, wohl aber gute und schlechte Dichter. Uebrigens ist Alles Gegenstand; Alles geht bei der Kunst zu Lehen; Alles hat Bürgerrecht in der Dichtkunst. Bekümmern wir uns also nicht um das Motiv, das dieß oder jenes Sujet wählen ließ, traurig oder luftig, schrecklich oder gefällig, glänzend oder dunkel, feltfam oder einfach, eher als ein anderes. Unterfuchen wir, wie man gearbeitet hat, nicht worauf oder warum.

Außerhalb diefes Kreifes hat die Kritik keine Urfache zu fragen, der Dichter keine Rechenschaft abzulegen. Was foll die Kunst mit Gängelbändern, Handschellen,

Knebeln? Sie sagt zu Euch: Geht und läßt Euch los
in dem Garten der Poesie, wo es keine verbotene Frucht
gibt. Raum und Zeit gehören dem Dichter. Er gehe
also, wohin es ihm gefällt und thue was ihm beliebt;
das ist das Gesetz. Er glaube an Gott oder an Götter,
an Pluto oder Satan, an Canidia oder Morgana oder
an Nichts; er bezahle das Fährgeld für den Styx; er
gehöre zum Herensabbath; er schreibe in Prosa oder in
Versen; er bilde in Marmor oder gieße in Erz; er fasse
Fuß in diesem Jahrhundert oder in jenem Klima; er
sei aus dem Süden, dem Norden, dem Westen, dem
Osten; er sei antik oder modern; seine Muse sei eine
Muse oder eine Fee, sie kleide sich mit der Colocasia
oder lege ein Panzerhemd an: das ist vortrefflich. Der
Dichter ist frei. Versetzen wir uns auf seinen Stand-
punkt und betrachten wir es näher.

Der Verfasser besteht auf diesen Ideen, so sonnen-
klar sie auch scheinen, weil eine gewisse Zahl von Ari-
starchen noch nicht so weit ist, sie dafür zu halten. Er
selbst, so gering auch der Platz ist, den er in der Literatur
der Zeitgenossen einnimmt, ist mehr als ein Mal der
Gegenstand dieser Mißgriffe der Kritik gewesen. Es hat
sich oft gefunden, daß, anstatt ihm einfach zu sagen:
Ihr Buch ist schlecht, man ihm sagte: Warum haben
Sie dieß Buch gemacht? Warum diesen Gegenstand?
Sehn Sie nicht, daß die Grundidee abscheulich, grotesk,
absurd ist (was thut das!) und daß das Süjet sich

außerhalb der Grenzen der Kunst bewegt? Das ist
nicht hübsch, nicht anmuthig. Warum nicht Gegenstände
behandeln, die uns gefallen und zusagen? Was Sie da
für seltsame Launen haben! und so weiter, und so weiter.
Darauf hat er immer mit Festigkeit geantwortet, daß
seine Launen seine Launen seien; daß er nicht wisse, worin
die Grenzen der Kunst bestehen; daß er eine genaue
Geographie für die intellectuelle Welt nicht kenne; daß
er noch keine Postkarten der Kunst mit den roth oder
blau gezogenen Grenzen des Möglichen und Unmöglichen
gesehn, und daß er endlich das gemacht habe, weil er
es gemacht habe.

Wenn ihn also heutzutage Jemand fragt, was diese
Orientalen sollen und was ihm eingegeben habe, einen
ganzen Band hindurch im Morgenlande zu wandeln; was
dieses unnütze, rein poetische Buch bedeute, mitten in
die ernsten Beschäftigungen des Publikums und an die
Schwelle einer Parlamentssitzung hingeworfen; wo die
passende Veranlassung sei; worauf der Orient reime? ...
so wird er antworten: daß er nichts davon weiß, daß
es eine Idee ist, die ihn ergriffen hat und zwar auf
eine ziemlich lächerliche Weise, im vorigen Sommer, als
er die Sonne untergehn sah.

Er wird bloß bedauern, daß dieses Buch nicht besser sei.

Und dann, warum sollte es nicht mit einer Literatur
in ihrem Gesammtwesen, und im Besondern mit dem
Werke eines Dichters sein, wie mit jenen schönen alten

Städten Spaniens, wo man Alles findet: einen frischen Spaziergang unter Orangenbäumen am Flusse entlang; weite der Sonne geöffnete Plätze für die Feste, enge, krumme, mitunter dunkle Straßen, in welchen sich tausend Häuser von allen Gestalten und jedem Alter, hohe, niedre, schwarze, weiße, gemalte, in Stein gehauene Häuser, mit einander verbinden. Labyrinthe von Gebäuden, die Seite an Seite aufgerichtet sind, durch einander Palläste, Spitäler, Klöster, Kasernen, Alle verschieden, Alle ihre Bestimmung in ihrem Bau geschrieben tragend; Marktplätze voll Volk und Lärm, Kirchhöfe wo die Lebenden schweigen, wie die Todten; hier das Theater mit seinem Rauschgold, seinen Fanfaren und seinem Flitterstaat; dort unten der alte, bleibende Galgen, dessen Stein verwittert, dessen Eisen verrostet ist, mit einem im Winde knarrenden Gerippe — in der Mitte die große gothische Kathedrale mit ihren sägenförmig gestalteten Spitzen, ihrem breiten Glockenthurm, ihren fünf mit Basreliefs besetzten Portalen, ihrem durchbrochenen Fries, der einem Spitzenkragen gleich, ihren soliden Gewölbpfeilern, die dem Auge so zerbrechlich erscheinen; und dann, ihre tiefen Höhlen, ihr Wald von Pfeilern mit bizarren Capitälen, ihre glühenden Kapellen, ihre Myriaden von Heiligen und Reliquienkasten, ihre Säulchen in Garben, ihre Einsetzrosen, ihre Bogengräten, ihre Lametten, die sich in den Absiden berühren und gleichsam einen Käfig von Kirchenfenstern bilden, ihr Hochaltar mit tausend Kerzen; wunderbares Gebäude, imponirend durch seine Masse, merkwürdig in seinen Einzelnheiten, schön eine halbe Meile und schön zwei Schritte weit; — und endlich, am andern Ende der Stadt, versteckt in den Sykomoren und Palmbäumen, die orientalische Moschee, mit den Kuppeln von Kupfer und Zinn, mit gemalten Thüren, gefirnißten Wänden, mit dem Licht von oben, den schmächtigen Arkaden, den Kasseletten die Tag und Nacht rauchen, den Versen aus dem Koran über jeder Thür, mit ihren blendenden Allerheiligsten und der Mosaik ihres Bodens und ihrer Mauern; der Sonne geöffnet wie eine breite duftreiche Blume.

Gewiß, der Verfasser dieses Buches wird niemals ein Ensemble von Leistungen verwirklichen, auf welche man den Vergleich den er glaubte wagen zu dürfen, anwenden kann. Indessen, ohne zu hoffen, daß man in dem, was er baute, schon eine ungestalte Skizze der Monumente, die er so eben andeutete, finden werde, sei es nur die gothische Kathedrale, oder das Theater, oder gar der scheußliche Galgen, wenn man ihn fragte, was er hier hat machen wollen, so würde er antworten, die Moschee.

Er verbirgt es sich nicht, im Vorbeigehn gesagt, daß viele Kritiker ihn für verwegen und unsinnig halten werden, für Frankreich eine Literatur zu wünschen, die man mit einer mittelalterlichen Stadt vergleichen könne. Das ist eine der thörichtesten Einbildungen, auf die man

gerathen kann; das heißt offenbar, Unordnung, Verschwen=
dung, Bizarrerie, falschen Geschmack verlangen. Weit
besser ist eine schöne und correcte Nacktheit, große ganz
einfache Mauern, wie man sagt, mit einigen keuschen
Verzierungen in gutem Geschmack; Oven und Voluten,
ein Bouquet von Bronze für die Cornichen, eine Wolke
von Marmor mit Engelsköpfen für die Decken, eine
Flamme von Stein für die Friese, und dann wieder
die Oven und Voluten. Das Schloß von Versailles, die
place Louis XV, die rue de Rivoli: das ist's, — Sprecht
mir von einer schönen nach der Schnur gezogenen Literatur.

Die andern Völker sagen: Homer, Dante, Shaks=
peare. Wir sagen Boileau.

Aber weiter.

Wenn man darüber nachdenkt, falls es anders der
Mühe des Nachdenkens werth ist, so findet man vielleicht
die Phantasie, welche diese Orientalen erzeugt hat, weni=
ger seltsam. Man beschäftigt sich jetzt, und dieses Resul=
tat verdankt man tausend Ursachen, die einen Fortschritt
herbei führten, weit mehr mit dem Orient, als man je
gethan hat. Die orientalischen Studien sind nie so weit
getrieben worden. Im Jahrhundert Ludwig's XIV war man
Hellenist, jetzt ist man Orientalist. Ein Schritt vorwärts
ist gethan. Niemals haben so viel geistige Kräfte zu
gleicher Zeit den großen Abgrund, Asien, durchwühlt.
Wir haben heutzutage in jedem Idiom des Orients, von
China bis nach Aegypten, einen Gelehrten eingelagert.

Aus dem Allen entspringt das Resultat, daß der
Orient, sei es als Bild oder als Gedanke, eben sowohl
für den Verstand wie für die Einbildung zu einer Art
von allgemeiner Beschäftigung geworden ist, der der Ver=
fasser dieses Buches vielleicht unwissentlich gehorcht hat.
Die orientalischen Farben haben, wie von selbst alle
seine Gedanken, alle seine Träume getränkt; und seine
Gedanken und Träume wurden wechselweise und ohne
daß er es wollte, hebräisch, türkisch, griechisch, persisch,
arabisch, franisch selbst; denn Spanien ist noch Morgen=
land, Spanien ist halb afrikanisch, Afrika halb asiatisch.

Er hat sich von dieser Poesie, die ihm kam, beherr=
schen lassen. Gut oder schlecht; er nahm sie an und sie
machte ihn glücklich. Uebrigens hatte er immer eine
lebhafte Sympathie als Dichter — man verzeihe ihm,
daß er sich einen Augenblick diesen Titel anmaßt — für
die Welt des Orients. Es war ihm, als sähe er von
weitem eine hohe Poesie darin glänzen. — Es ist eine
Quelle, in welcher er schon lange seinen Durst zu stillen
wünschte; dort ist in der That Alles groß, reich, frucht=
bar, wie im Mittelalter, diesem andern Meer der
Poesie. — Und da er hier doch darauf gekommen ist,
im Vorübergehn, warum sollte er es nicht sagen. Es
scheint ihm, als habe man bis jetzt viel zu sehr die
moderne Epoche im Jahrhundert Ludwig's XIV und das
Alterthum in Rom und Griechenland erblickt; würde
man nicht von größerer Höhe und weiter schauen, wenn

man die moderne Aera im Mittelalter, und das Alter=
thum im Orient studirte.

Uebrigens, sowohl was die Reiche wie die Litera=
turen betrifft, wird vielleicht binnen Kurzem der Orient
berufen sein, eine Rolle im Occident zu spielen. Schon
hatte der denkwürdige, griechische Krieg alle Völker ver=
anlaßt, sich nach dieser Seite zu wenden. Jetzt scheint
das Gleichgewicht Europa's nahe daran zu brechen; der
schon verwitterte und rissige europäische statuquo kracht
von der Seite Constantinopels her. Der ganze Continent
neigt sich dem Orient zu. Wir werden große Dinge
sehn. Es fehlt der alten asiatischen Barbarei vielleicht
nicht so an bedeutenden Männern, wie unsere Civilisation
es glauben will. Man muß sich erinnern, daß sie es ist,
die den einzigen Koloß hervorgebracht hat, den dieß
Jahrhundert Buonaparten gegenüberstellen kann; wenn
es überhaupt ein Gegenstück zu Buonaparte gibt; diesen
genialen allerdings türkischen und tartarischen Mann,
diesen Ali Pascha, der zu Napoleon ist, was der Tiger
zum Löwen, der Geyer zum Adler.

Im Januar 1829.

I.

Das Feuer des Himmels.

Da ließ der Herr Schwefel und Feuer
regnen von dem Herrn vom Himmel herab
auf Sodom und Gomorrha.
Und kehrte die Städte um und die ganze
Gegend und alle Einwohner der Städte und
was auf dem Lande gewachsen war.
Genesis 19, 24. 25.

1.

Seht Ihr die Wolke zieh'n mit dunkler Seite,
Bald bleich, bald roth, und glänzend in der Weite
Und trübe, wie ein Sommer, unfruchtbar,
Man glaubt zur Zeit, als wollt' auf Nachtwind's Schwingen
Empor der Rauch, der gluthdurchzuckte, dringen
Und das Geräusch, das eine Stadt gebar.

Naht sie vom Himmel? von dem Fels, vom Meer?
Trägt Flammenwagen sie, Dämonenheere
Vielleicht dem nahen Wandelsterne zu? —
Wie kommt's, o Graus! daß plötzlich, hin und wieder
Aus dem geheimnißvollen Schooß, hernieder
Ein Blitz, gleich einer Schlange, zuckt im Nu?

2.

Meer! — Ueberall! Ringsum, ringsum die Fluth,
Vergeblich strebt der Vogel, daß er ruht;
Hier Fluthen und dort unten Wogen.
Die Welle schiebt die Welle rastlos fort,
Der Blick sieht nur gedrängte Fluthen dort,
Die unter tiefen Wellen fortgezogen.

Mitunter zeigen in der Wogen Tanz
Die bunten Flossen bei der Sonne Glanz
Und ihren blauen Schwanz ein Heer von Fischen.
Der Heerde, die sich schüttelt, gleicht das Meer,
Der Himmel schließt es ehern rings umher,
Wo blaue Fluthen sich mit blauem Aether mischen.

Soll ich das Meer austrocknen? So spricht im Flammen-
       schein
Die Wolke. — Sie zieht weiter; ihr ward zur Antwort:
       Nein!

3.

Dort der Golf mit grünen Hügeln,
Die sich in dem Widerschein
Jener klaren Fluthen spiegeln;
Lust'ge Lieder schallen d'rein.

- 15 -

Büffel weiden, Spieße fliegen,
Fischfang, mit dem Wilde kriegen,
Ist des Stammes Lust, daß Pfeile
Ringen mit dem Blitz an Eile;
Zelt und Krippe dort sind sein.

Diesen Wand'rern wird verdorben
Nimmermehr die Luft, so rein;
Kinder, Jungfrau'n, wilde Krieger
Schlangen dort die bunten Reih'n,
Und das Feuer auf der Eb'ne
Mit ihm spielt des Abends Weh'n,
Geistern gleich, die, wir im Traume,
Ueber unsern Stirnen sehn.

Jungfrau'n mit dem dunkeln Busen,
Wie der heit're Abend schön,
Lachten, daß sie kaum im Glanze,
Sich, des Kupferspiegels, sehn.
And're, wie die Schwestern, heiter,
Die die Freude dort verband,
Melkten aus der Ziegen Euter
Weiße Milch mit schwarzer Hand.

Männer, Frauen, unbekleidet,
Badeten sich in der Fluth.
Wo hat wohl am vor'gen Tage
Dieses fremde Volk geruht?

Ihrer Cymbeln schrilles Tönen,
Das da wiehern macht das Roß,
Mischte sich in Zwischenräumen
Mit dem Meer, das brausend floß.

Die Wolke zauderte im Raum. — Ist's dort?
Doch Niemand weiß, wer ihr erwiedert: Fort!

4.

Aegypten! Blond von Aehren macht sich's kund,
Die Felder, wie ein reicher Teppich, bunt,
Eb'nen, an denen neue Eb'nen lagen;
Die Fluth im Norden, kalt, im Süden heißer Sand,
Sie streiten sich darum; doch lacht das Land
Zwischen den beiden Seen, die es benagen.

Drei Berge, so von Menschenhand gebaut,
Gen Himmel ragen, daß man nicht erschau't
Den Grund, den Asche deckt, nach dort'ger Sitte.
Vom spitzen Gipfel bis zum gelben Sand
Breiten sie aus den ungeheueren Rand
Der Stufen, nur für Riesenschritte.

Ein Gott von grünem Marmor, die Sphinx von rothem
                    Stein
Bewachten sie, nicht zwang sie blind zu sein

Der Wüstenwind mit seinen ·Gluthen.
Es segeln große Schiffe in den Port;
Die Riesenstadt, gelagert an dem Bord
Netzt ihre Füße in den Fluthen.

Brüllen hört man den mörderischen Emum
Und auf den weißen Kieseln wiederum,
Die Schuppen knarren unter'm Bauch der Krokodille;
Die Obelisken ragen schlank empor
Und wie ein Tiegerfell, drängt sich im Westen vor
Der gelbe Nil, bunt durch der Inseln Fülle.

Die Sonne sank. — Es spiegelte die Fluth,
Die von dem Abendwind gesichert ruht,
Den gold'nen Ball zurück, den alle Menschen segnen.
Und an dem rothen Himmel und in dem rothen Meer,
Wie zwei verbund'ne Könige, daher
Sah' man zwei Sonnen sich begegnen.

Wo weil' ich? fragt die Wolke, die nun zu rasten strebt.
Suche! sprach eine Stimme, vor· der der Thabor bebt.

5.

Rings Chaos, weite Wüste,
Sand ringsum, nichts als Sand,
Fruchtbar an Ungeheuern,
An Plagen für das Land,

XVI.   2

Hier haftet nichts, die Berge,
— Brauſt wild der Sturm einher, —
Mit ihrem gelben Kamme,
Zerfließen wie das Meer.

Mitunter ſtöret Lärmen
Die heil'ge Stätte hier,
Es ſind die Caravanen
Von Mambreh und Ophir.
Das Auge folgt der Menge,
Die in des Sandes Gluth
Sich ſchlängelt und entfaltet,
Wie eine Boa thut.

Nur Gott allein gehöret
Die Wüſte, grabesſtumm,
Er nur kennt ihre Grenzen,
Aendert die Mitte um.
Ein Nebel lagert immer
Auf dieſem heißen Meer,
Das, ſtatt des Schaumes, ſpritzet
Die Aſche rings umher.

Wandl' ich zum See die Wüſte? — ſo jetzt die Wolke fragt.
Noch weiter! ihr zur Antwort die and're Stimme ſagt.

6.

Gleich einer Klippe, starrend aus dem Meer,
Ein Haufen Thürme, Schutt nun rings umher.
Dort Babel sich, verödet, finster strecket;
Ein Zeuge von der Menschen nicht'gem Sein,
Hat vier der Berge es im Mondenschein
Mit ihrem Schatten einst bedecket.

In Trümmer stürzte das Gebäude tief,
Der Sturmwind, der gefesselt d'rinnen schlief,
Erfüllt es dumpf mit wundersamen Lauten.
Einst summte rings herum das menschliche Geschmeiß,
Und Babel sollte auf dem ganzen Erdenkreis
Stolz seinen Kreis zieh'n, als sie es erbauten.

Die Stufen sollten führen zum Zenith,
Und jeglicher der Felsen von Granit
Hatte nur eine Stufe hergegeben
Und Gipfel neu auf Gipfeln auferbaut, ·
So weit das Auge rings entmuthigt schaut,
Pyramidalisch sich erheben.

Die Riesenschlange und das Krokodill,
Kleiner noch scheinend, als das Armadill,

2*

Schlüpfend durch dieser Blöcke Felsenengen;
Die Palmen, sprossend an der Thürme Saum,
Verloren in dem ungeheuern Raum,
Sie glichen Halmen, die hinunter hängen.

Durch Mauerspalten drang ein Elephant,
Ein hoher Wald unter den Pfeilern stand,
Den Menschenwahnwitz so vermehret;
Der Adler und der Riesengeier Schaar
Flog um die großen Hallen immerdar,
So wie ein Bienenschwarm zu seinem Korbe kehret.

End' ich sie? — sprach die Wolke, zornesroth.
Fort! — Herr! wohin entführt mich dein Gebot?

7.

Sieh da! zwei Städte, fremd und unbekannt,
Erhoben sich bis an der Wolken Rand,
Zu schlummern schienen sie im Weh'n der Nacht
Mit Göttern, Volk und Wagen, Lärm und Pracht.
Zwei Schwestern sind sie in demselben Thal,
Die Thürme baden sich im Mondenstrahl;
Das Auge sah in der verwirrten Menge
Pfeiler und Aquäducte, Stufengänge
Und Elephanten, eine Kuppel tragend,
Empor wie furchtbare Kolosse ragend,

Sah'n um sich kriechend scheußliche Genossen
Aus schimpflicher Vermählung wild entsprossen,
Hängende Gärten, voll von Blumen und Arkaden,
Der Mond umsaumte sprudelnde Cascaden;
Und Tempel, wo auf weichem Kissen nun
Die Götzen mit Stierhäuptern finster ruh'n;
Kuppeln aus einem Block, die Hallen deckend,
Wo, nimmer aufrecht ihre Häupter streckend,
Im Kreise sitzend, an sich schauend unverwandt,
Eherne Götter, auf dem Knie die Hand;
Palläste, Treppen, schwarze dunkle Gänge,
Wo rings der unbekannten Formen Menge,
Die Brücken, die Kanäle, jedes Thor
Erschreckten dort den Blick, der sich verlor.
Die finstern Hallen sich erhoben hatten
Bis in den Himmel mit den breiten Schatten,
Ein ungeheuerer Haufen Dunkelheit,
Der Himmel funkelte mit seinen Sternen weit
Sie glänzten durch des Vorgebirges Bogen,
Gleich Sternen, die ein schwarzer Schleier umzogen.

Der Hölle Töchter, toll in der Begier,
Denn es erfand jedwede Stunde hier
Abscheuliche Genüsse, jede Thür
Befleckendes Geheimniß in sich hält,
Und wie ein doppeltes, ein fressendes Geschwür
Befleckten sie die ganze weite Welt.

Doch Alles schlief; in beiden Städten blinkt
Nur hie und da ein Schimmer und versinkt;
Des Festes letzte Fackeln in den Gassen
Vergessen, unbeachtet dort gelassen;
Die Mauerwinkel, die der Mondschein bleicht,
Ruh'n auf dem Wasser, schneiden ab den Schatten;
Nur in der Eb'ne hörte man vielleicht,
Erstickter Küsse Odem sich begatten.
Der Wind von Sodom nach Gomorrha zog,
Hin Düfte tragend aus dem Lustrevier.
Die Wolke gerade da vorüberflog
Und aus dem Himmel rief die Stimme: Hier!

8.

Ha! die Wolke ruht,
Birst, die rothe Gluth
Reißt sie tosend auf,
Und aus tausend Stellen
Nehmen Schwefelquellen
Wüthend ihren Lauf;
An Palästen lecken
Flammen wild und strecken
Sich zum Giebel auf.

Gomorrha! Sodom!
Welcher Flammenstrom

Decket jedes Dach,
Da die wilden Gluthen
Rasch dich überfluthen,
Volk, voll tiefer Schmach!
Nur auf dich hernieder
Stürzen Donner wieder,
Blitze wild und jach.

Dieses Volk erwacht,
Das noch gestern Nacht
Nicht an Gott gedacht;
Stürzende Palläste,
Wagen von dem Feste,
Alles sinkt und kracht,
Und die Menge findet,
Wie der Weg sich windet,
Rings der Flamme Macht.

Auf den stolzen Thürmen,
Die den Himmel stürmen,
Wankend in dem Thal;
Dort im Dunkeln hängen
Menschen, die sich drängen,
Sterbend halb zumal,
Wie auf alten Mauern
Sich Ameisen kauern,
Schwarz und ohne Zahl.

Wer kann sich bewegen
Bei dem grausen Regen,
Wehe! Alles sinkt,
Und es reißen Flammen
Brücken wild zusammen,
Jedes Dach zerspringt.
Wie die Funken fallen,
Hüpfend in den Hallen,
Wie das Feuer blinkt.

Unter jedem Funken
Wächst und schwillt, wie trunken,
Die entflammte Gluth;
Eilet wie auf Flügeln,
So wie, frei von Zügeln,
Wild ein Roß es thut.
In sich stürzt zusammen
Von den wilden Flammen
Niedre Götzenbrut.

Rauschend, wogend drinnen,
Peitschen sie die Zinnen
Mit dem Silberschein;
Schwefel färbt der Gluthen
Grün und rothe Fluthen
Nagend am Gestein,

Daß die Mauergruppen,
Wie Eidechsenschuppen,
Schimmern blank und rein.

Agath und Porphyre,
Schmilzt, dem Wachs gleich, ihre
Macht, Grabsteine hier,
Wie der Baum der Wiese,
Beugt der Marmorriese,
Nabo, sich vor ihr;
Jede Säule glühet,
Brennet, wirbelt, sprühet,
Gleich den Fackeln hier.

Ganz vergeblich tragen
Götterbilder Wagen
Von der Höh' im Lauf;
An des Gluthmeers Rande ·
Beugt im Lichtgewande
Sich ihr Fürst darauf.
Weh' umsonst! Die Flammen
Reißen wild zusammen
Ihres Tempels Bau.

Den Pallast dann treiben
Rasch sie fort, nicht bleiben

Kann die Menge dort;
Klagend mit Gewinsel
Von der stein'gen Insel
Ragt der Brand den Bord;
Sie ragt aus den Fluthen,
Sinkt dann in die Gluthen,
Wie erstarrt ist fort.

Seht, dem heißen Strande
Nah't im Festgewande
Jetzt der Priester Haupt.
Die Tiare brennet
Plötzlich ihm, er rennet
Bleich und angstbeschwert,
Greifet nach der Binde,
Doch die Hand im Winde
Wird, wie sie verzehrt.

Alles Volk zusammen
Blenden jetzt die Flammen,
Furchtbar steigt die Fluth;
Wie sie in den Engen
An dem Thor sich drängen,
Tosend, in der Wuth;
Während, voller Grauen,
Ueber sich zu schauen
Wilde Höllengluth.

9.

Man sagt, daß an dem Tag, so wie empor sich richtet,
Ein Züchtling, der im Kerker schon ergraute,
Um anzuseh'n, wenn Einer wird gerichtet,
Babel, die Sünderin, hinüber schaute.
Man hörte, während dieses sich ergeben,
Furchtbares Lärmen, das die Welt erfüllte,
So furchtbar, daß es selbst in Schrecken hüllte
Die Völker, die in dunkeln Höhlen leben.

10.

Die Gluth war unerbittlich. Aus der Stadt,
Der brennenden, floh Keiner todesmatt;
Doch hob er hoch empor die feigen Hände,
Und die zum letzten Male hier sich sah'n,
Die fragten, welche Gottheit den Vulcan
Mit seinen Flammen auf die Mauern sende.

Gegen die göttliche, die wilde Gluth,
Schützt nimmer sie der Marmordächer Hut,
Gott weiß den, der ihm trotzt, zu richten.
Sie rufen ihren Göttern — doch sie seh'n,
Wie die granit'nen Augen, die unbeweglich steh'n,
Zu Lavathränen plötzlich sich verdichten.

So schwand im Wirbel Alles von der Flur,
Mit seiner Stadt der Mensch und mit dem Gras die
Spur,
Gott hat mit diesen Ebenen geschaltet;
Nichts blieb von dem zerstörten Volk zu seh'n;
Des unbekannten Windes nächtlich Weh'n
Hat selbst die Form der Berge umgestaltet.

11.

Der Palmbaum, der sich aus dem Felsen dränget,
Fühlt jetzt sein Laub verdorrt, den Stamm versenget,
Von Lüften, schweren, heißen, angehaucht.
Die Städte sind nicht mehr, — wo sie gestanden,
Dehnt sich ein starrer See in Eises Banden,
Der wie der Schlund von einem Ofen raucht.

II.

Canaris.

Wenn ein besiegtes Schiff auf off'nem Meere scheitert,
Und seine Segel bang
Mit Löchern, von den Kugeln, den eisernen, erweitert,
Hängen am Mast entlang;

Wenn man nur Todte kann auf allen Seiten schauen,
Und Anker, Segel weggespühlt,
Zerbroch'ne große Masten, fortschleppend ihre Tauen,
Gleich Haar vom Wind durchwühlt;

Wenn sich das Schiff, von Rauch und lautem Lärm
bedecket,
Dreht wie ein Rad in Eil',
Ein Haufen Menschen dort sich drängt und flieht erschrecket,
Vom Hintertheil zum Vordertheil;

Wenn dann kein Krieger Antwort giebt auf der Führer
Stimmen,
Das Meer sich thürmt mit Wuth,
Erloschene Kanonen im Zwischendecke schwimmen,
Sich stoßend in der Fluth;

Wenn den Koloß man sieht, öffnend den Meereswogen
Die Wunde, klaffend weit,
Und die Galeere blutet, trotz dem daß sie umzogen
Von eh'rner Rüstung breit;

Wenn auf's Gerathewohl sie schwimmt wie eine Leiche,
Mit off'nem Raume dort einher,
Gleich einem todten Fisch, deß Bauch, der große, bleiche,
Versilbert rings das grüne Meer:

Dann Ruhm dem Sieger, Ruhm! es fällt im Pulver-
dampfe,
Auf's fremde Schiff sein Anker hin,
So wie ein mächtiger Adler nach wildem, heißem Kampfe,
Die Kralle legt auf seine Beute hin.

Am großen Mast hat er alsbald emporgezogen,
Sein Banner, das der Wind bewegt,
Und deffen gold'ner Schein sich wechselt in den Wogen,
Entfaltet und zusammenlegt.

Dann sieht die Völker man stolz ihre Farben halten,
Und mit der höchsten Pracht,
Den Purpur, den Azur, das Silber weit entfalten,
Zu künden ihre Macht.

Ihr Stolz der thörichte, der freudig es gewahret,
Auf diesem Glanze ruht,
Als ob die schwarze Fluth etwas davon bewahret,
Verdrängt gleich von der nächsten Fluth.

Malta zog auf sein Kreuz; Venedig hat den Leuen
Im Wappen aufgesteckt,
Auf seinen Ruderschiffen, und vor ihm bang sich schauen
Lebend'ge Löwinnen erschreckt.

Neapels Flagge glänzt hoch in der Luft vor Allen;
Wenn sie entfaltet ruht,
Glaubt man, man sähe von dem Schiff zum Meere wallen
Aus Gold und Seide eine Fluth.

Es malt auf seinen Bannern wild flatternd um die Wette
Hispanien, trotz dem Sturm
Leon mit gold'nem Leu, so wie Navarra's Kette,
Kastilien's Silberthurm.

Rom hat die Schlüssel, Mailand das Kind das in den
                                          Zähnen
Der Wappenschlange schreit;
Die Schiffe Frankreichs, Lilien von Golde, die sich dehnen
Auf ihrem Kupferkleid.

Um seinen Halbmond hängt Stambul drei weiße Schweifen,
So sehr verabscheut und geschmäht;
Amerika, das freie hat gold'nen Himmelsstreifen,
Mit blauen Sternen übersä't.

Den wunderbaren Adler läßt Oesterreich sich breiten
Der glänzend auf dem schwarzen Feld,
Ein schwarzes Haupt ausstreckt nach beiden Seiten
Der gleich bedrohten Welt.

Der and're Doppeladler, der da gehorcht den Czaaren,
Sein alter Gegner, trau'n!
Will, so wie er, zwei Welten zu gleicher Zeit gewahren
Die Eine haltend in den Klau'n.

Siegreich legt England stolz die glüh'nde Oriflamme
Auf, im Triumph, der bittern Fluth,
So reich daß für den Schatten man hält von einer Flamme
Den Wiederschein, der auf den Wogen ruht.

So hält das Wappen an dem Mast empor gezogen
Der Fürsten mächt'ge Hand
Und zwingt die Schiffe, die besiegt sind auf den Wogen
Zu wechseln mit dem Vaterland.

Sie schleppen in den Reihen die Schiffe, welche trafen
Des Schicksals Schläge hart und schwer,
Und freu'n sich stolz, wenn größer an Zahl nun zieht
zum Hafen
Die wappenreiche Flotte her.

Sie werden immer an gefang'ne Schiffe schlagen
Die Flaggen ihres Siegerthum;
Denn, hoch an seiner Stirn soll der Besiegte tragen
Mit seiner Schande ihren Ruhm.

Der gute Canaris allein, deß kühnem Schiffe
Hell eine Gluthenfurche folgt, im Lauf
Zieht stets, an dem im Kampf besiegten Schiffe
Der Brand statt einer Flagge auf.

———————

XVI.   3

III.

Die Häupter auf dem Serail,

O horrible, horrible, most horrible!
Shakspeare, Hamlet.

1.

Der dunkle Dom der Nacht mit ungezählten Sternen
Beschaute spiegelnd sich in finstern Meeresfernen;
Das heitre Stambul schien, die hohe Stirn umhüllt,
Gelagert an dem Golf, benetzt von dessen Fluthen,
Zu schlummern zwischen Glanz des Meer's und Himmels-
gluthen,
So wie in einer Kugel von Sternen angefüllt.

So war es wie die Stadt der Geister anzuschauen,
Wenn schweigende Palläste sie in den Lüften bauen,
Sah man die Harems, wo die Langeweile thront;
Die blauen Kuppeln, die so wie der Himmel glühen
Mit ihren tausend Monden, die, wie es scheint, erglühen
Im Strahl, den ausgesandt der wahre Mond.

Das Auge unterschied der festen Thürme Stätte,
Die platten Dächer, der Moscheen Minarette,

Die maurischen Balcons im Kleezug ausgeschnitzt;
Die Fenster, die sich hinter den stummen Gittern decken,
Vergoldete Palläste, die Palmen die sich strecken
Gleich Federbüschen, oben wie Nadeln zugespitzt.

Die Minarete, die hoch in den Himmel ragen
Gleich Lanzeneisen, die von weißem Schaft getragen;
Bunte Kioske und Leuchtfeuer, wechselnd dort;
Auf dem Serail dem alten, das hohe Mauern kränzen,
Hundert metall'ne Kuppeln, die in den Schatten glänzen
Wie Riesenhelme fort und fort.

2.

O, das Serail! — Die Nacht, da zittert es vor Freude. —
Bei froher Trommeln Klang, auf Teppichen von Seide
Tanzten die Sultaninnen von seel'ger Lust beglückt.
Und wie sich Könige mit Festgeschmeide krönen
Zeigt es sich stolz dem Blicke von des Propheten Söhnen,
Mit sechs mal tausend Häuptern reich geschmückt.

Bleich, mit erlosch'nem Blick, bedeckt mit schwarzen Haaren,
So krönten sie, die da gereiht auf Zinnen waren,
Dort der Terrassen bunter Blüthenhain;
Voll Trauer, wie ein Freund, doch, wie er, Tröstung reichend,
Warf das Gestirn des Todes, die blut'gen Züge bleichend,
Der Mond auf sie den falben Schein.

3*

Drei unter ihnen, die vor Allen sich erhoben,
Bezeichneten das Thor nach Osten furchbar oben;
Des Raben Flügel schlug auf sie herab;
Es war als ob der Tod zu ihnen so getreten,
Daß er im Kampf den Einen, den Andern traf im Beten,
Den Dritten aber, in dem Grab.

Man sagt, daß damals, während die Wachen reglos stehen,
Gleich ihnen, unbeweglich und stumm den Dienst versehen,
Urplötzlich die Drei sprachen und ihrer Stimme Schall
Gleich den Gesängen, denen man oft im Traume lauschet,
Der Fluth, die halb im Schlummer an das Gestade rauschet;
Glich in dem Wald des Windes Wiederhall.

3.

Die erste Stimme.

Wo bin ich? . . . Meinen Brander! die Segel! rasch
zusammen.
Es ruft, ihr Brüder, uns Missolunghi in Flammen,
Die Türken nahmen, ach! die edeln Wälle ein.
Wir wollen ihre Schiffe zu ihren Städten senden,
Die Fackel soll in meinen Händen
Für euch ein Pharus, Führer! für sie ein Blitzstrahl sein!

Fort! Lebewohl Korinth, deß Berge weithin ragen!
Ihr Meere, wo die Felsen der Siege Namen tragen,

Klippen des Archipel in nasser Kluft;
Ihr schönen Inseln, wo sich Lenz und Himmel einet
Zum Segen, die am Tag ihr Blumenkörbe scheinet,
So wie zur Nachtzeit Vasen voller Duft!

Leb' wohl, du neues Sparta, o Hydra, stolz und prächtig!
Es kündet deine Freiheit, in Liedern sich so mächtig,
Die Mauern hüllen Masten, o du Matrosenstadt
Leb' wohl! Du bist's, in die wir Alle Hoffnung setzen,
Den Rasen lieb' ich, den die dunkeln Wogen netzen,
Den Fels, vom Blitz gepeitscht, an dem die Welle nagt.

Wenn nach der Rettung von Missolunghi ich kehre,
Erhebe eine Kirche sich neu zu Christi Ehre,
Sterb' ich, fall' ich in ew'ge Nacht hinab;
Wenn ich das Blut vergieße, das ich jetzt noch bewahre,
So tragt auf Freiheits-Boden, ihr Brüder, meine Bahre,
Und rüstet in der Sonne mir mein Grab.

Missolunghi! Die Türken! — Laßt unf're kühnen Rotten
Verjagen aus den Häfen, Kam'raden ihre Flotten,
Mit seinen Feuerschlünden verbrennt den Capitain!
Auf! lasset unf're Brander die heißen Krallen wetzen;
Kann mit den Meinen ich sein Schiff besetzen,
Schreib' meinen Namen ich in Flammenschrift daran.

Sieg! Freunde! . . . Himmel! — Seht die Bombe, wie
sie wettert,
Auf mein behendes Schiff hinschlägt, das Deck zerschmettert,
Es brennt, es dreht sich, öffnet sich der Fluth!
Es schreit umsonst mein Mund, rasch decken ihr die Wogen;
Lebt wohl, das Leichenhemd von Tang hält mich umzogen,
Indeß mein Leib im Meeressande ruht.

Doch nein! Ich wache endlich — doch mich umhüllt ein
Nebel
Geheimnißvoll — Wie gräßlich! mein Arm fehlt meinem
Säbel,
Das finstere Gespenst, was will es neben mir?
Von Weitem hör' ich Chöre — Sind's Frauenstimmen=
klänge,
Wie, oder murmeln Geister die Gesänge?
Bin ich im Himmel? — Blut! — Weh! das Serail
ist hier.

4.

Die zweite Stimme.

Ja Canaris, du siehst es, den Harem und mein Haupt,
Das, um dieß Fest zu schmücken, ward meinem Grab
geraubt;

Die Türken fanden selbst zu meiner Gruft den Pfad.
Sieh dieß vertrocknete Gebein ist ihre Beute,
Ist, was vom Botzaris dem hohen Sultan heute
Des Grabes Wurm gelassen hat.

Hör' zu! Ich schlummerte in meiner engen Welt,
Als mich der Schrei erweckte: Weh! Missolunghi fällt!
Und halb erhob ich mich in meiner ew'gen Nacht.
Ich höre der Kanonen dumpf, donnerähnlich Rollen,
Des Kriegsgeschreies wildes Grollen,
Des Eisens häuf'gen Schall, das Drängen in der Schlacht.

Ich höre in der Stadt, erfüllt von Kampf und Morde,
Den Ruf: Befreie du von dieser Knechte Horde,
Schatten des Botzaris, dein armes Griechenland!
Und ich nur zu entflieh'n, zur Rettung für die Meinen
Zerschlug, im Dunkeln kämpfend, an jenen Marmorsteinen
Mir die entfleischte Todtenhand. —

Plötzlich, wie ein Vulcan, entzündet sich, zerspringet
Der Boden. — Alles still. — In andre Welten dringet
Mein Blick und sieht, was nie den Lebenden ward kund.
Denn aus der Erde, aus den Flammen, aus dem Meere
Entwichen rasch zahlloser Seelen Heere,
Theils fliegend himmelwärts, theils stürzend in den
                                        Schlund.

— 40 —

Die Sieger waren es, die meine Gruft aufdeckten,
Sie mischten nun mein Haupt mit euren, den befleckten,
In des Tartaren Sack warf man sie ohne Wahl.
Da zitterte mein Körper enthauptet, vor Entzücken,
Mir war's als stürb' ich, Freund, um recht mich zu beglücken,
Für's Kreuz und Griechenland zum zweiten Mal.

Es hat sich unser Schicksal auf Erden heut vollendet,
Stambul, den Blick zu dieser Erndte des Schwerdt's
                                        gewendet,
Er stehet vor den Thürmen, den sieben, zum Fanar;
Und unsre Köpfe, der Verhöhnung Preis gegeben,
Sie müssen sich auf dem Serail erheben,
Den Sultan weidend und der Geier Schaar.

Sieh alle unsre Helden! Costas den Pallikaren,
Christos vom Berg Olymp; Hellas, der weit gefahren,
Kitzos den Byron liebte, des sangesreicher Quell;
Und jenes Kind der Berge, das wir als Sieger krönen,
Mayer, der wiederbrachte des Thrasybulos Söhnen
Den Pfeil des Wilhelm Tell.

Die unbekannten Todten, die da in unsern Reihen
Durch unsre Heldenstirnen die feigen Stirnen weihen,
Es sind verfluchte Söhne des Eblis und Satan,
Gemeine Schaar von Türken, dem Säbel untergeben,
Sklaven, denen man raubt das Leben,
Wenn noch ein Kopf ermangelt der Rechnung des Sultan.

Ähnlich dem Minotaur, von dem die Väter künden,
Lebt nur ein Mensch allein in diesen Mördergründen;
Die unf're Fetzen zeigen dem Volke, knieend hier;
Denn alle and'ren Zeugen des Festes in der Halle,
Die scheußlichen Eunuchen, die stummen Mörder alle,
Sie sind, o Freund! so todt wie wir.

Weß das Geschrei? — Es ist die Zeit, wo unf're Frauen
Und unf're Schwestern, Töchter, will seine Wollust schauen.
Wo ihnen ihre Blüthe fein gift'ger Pesthauch raubt;
Der kaiserliche Tiger vor Freude brüllend heute
Zählt wechselweise seine Beute;
Jetzt unf're Jungfrau'n, morgen von uns ein jedes
Haupt.

5.

Die dritte Stimme.

Joseph der Bischof, grüßte euch, Brüder und Genossen,
Miffolunghi ist hin. — Zum Untergang entschlossen
Floh es den Hunger mit dem bösen, gift'gen Zahn;
Die Türken riß es mit sich in sein Unglück nieder,
Und zündet selbst, ein furchtbar Opfer, wieder
Den rächerischen Scheiterhaufen an.

Als ich seit zwanzig Tagen die Stadt sah Hunger leiden,
Da rief ich: Krieger, Volk, kommt! es ist Zeit zu scheiden

— 42 —

Im heilgen Opfer sagt ein Lebewohl der Noth;
Empfangt an Gottes Tisch aus meinen Priesterhänden
Der einzigen Nahrung letzte Spenden,
Der Seele Speise, das von Gott geweihte Brod!

O, welch' ein Abendmahl! — Die Lippen, die im Sterben
Die heil'ge Hostie noch suchten zu erwerben;
Die Krieger ohne Kraft, die dennoch Schutz gewährt;
Trostlose Mädchen, Greise, arme Frauen,
Und an der Mütter Brüsten, voller Grauen,
Kinder, statt Milch mit Blut genährt!

Die Nacht kam und man schied; doch in des Dunkels
                              Schweigen
Sah die zerstörten Wälle die Türken man ersteigen,
Und ihren schwanken Schritten die Kirche offen stand;
Auf eines Altar's Trümmern, der Letzte war's von Allen,
Ließ rasch mein Haupt ein Säbel fallen;
Ich betete, nicht kannt' ich sie, die mich traf, die Hand.

Beklaget Mahmoud, Brüder! — Ihm muß im wilden
                              Glauben
Gemeinschaft seine Macht mit Gott und Menschen rauben.
Sein blödes Auge dringt bis in den Himmel nicht;
Nur seine Krone, die stets wankt in unsern Tagen,
Sie muß ein blutig Haupt auf jeder Zacke tragen,
Er selbst vielleicht ist grausam nicht.

Der Ärmste, stets der Qual der Angst anheimgefallen,
Verliert er jeden Tag von seinen Tagen allen;
Es fehlt des Morgens ihm, fehlt ihm des Abends nicht.
Stets Langeweile! Gleich den Götzen, die sich schmücken,
Die Sklaven sich vor ihm verehrend bücken,
Des Spahi Peitsche regelt den Weihrauch ihrer Pflicht. —

Allein für euch muß Alles Lust, Ehre, Freude werden,
Ihr siegt in der Geschichte, da ihr besiegt auf Erden,
Und selbst auf dem Serail sollt ihr gesegnet sein.
Eu'r Ruhm kann durch den Tod doch nimmermehr ver=
                                            gehen,
Die grabberaubten Häupter werden euch zu Trophäen,
Ein Monument ist eu'r Gebein.

Der Neid des Apostaten, er sei auf euch gewendet.
Fluch ihm, der frech das Wasser der Taufe hat geschändet
Im Buch des Lebens ward vergebens er gezählt.
Kein Engel harret sein im Himmel, wo wir weilen,
Verwünschung möge ihn ereilen,
Da schon sein bloßer Name wie Gift die Lippen quält.

Du, christliches Europa, vernimm du uns're Klagen!
Der heil'ge Ludwig hätte, uns Hülfe zuzutragen,
Zu uns herbeigeführt der Ritter Heeresbann,
O wähle endlich, ehe dein Gott selbst aufgestanden,
Zwischen Jesus und Omar, zwischen dem Kreuz und Banden,
Zwischen dem Heil'genschein und dem Turban!

6.

Ja Botzaris, Joseph, Canaris, heil'ge Schatten,
Es höret eure Stimmen, die durch den Tod ermatten,
Es wird das Zeichen sehn auf eure Stirn gedrückt.
Und beide Griechenlande sie werden zu euch sagen,
Da zu dem Sühngesange sie Harf' und Laute schlagen
Und zu euch kommen, Beide zwiefach mit Ruhm geschmückt:

„Ach Heilige seid ihr, Erhabene vor Allen!
Halbgötter, Beichtiger, als Opfer uns gefallen,
Euer Arm war ausgezeichnet in heißer Kampfes Gluth;
Weh, daß der Todten Häupter in nied're Hände fielen!
Dieß eu'r Calvarienberg nach euren Thermopylen,
Für alle Opfer floß euer edles, reines Blut."

O, wenn Europa trauernd, mit solchem Blut beladen
Nicht bis zu dem Serail ihm folgt auf seinen Pfaden,
Bewahret Gott ihm auf der Reue bitt'res Leid. —
Seefahrer, Priester, Krieger, euch fordern die Altäre,
So, Himmel wie Olymp, erwarten euch, zur Ehre,
Helden = Pleiade, Märtyrer = Dreieinigkeit!

IV.

Begeisterung.

Allons jeune homme: allons, marche!
André Chénièr.

Nach Griechenland! Lebt wohl! Lebt wohl; wir müssen
      scheiden!
Es fließe endlich nun der Henker Blut in Leiden,
Wie einst das Blut des armen Volkes floß.
Nach Griechenland! Gebt Rache und Freiheit mir Geleite,
Den Turban meiner Stirn; den Säbel an die Seite!
Auf denn und sattelt mir dieß Roß!

Wann reisen wir? Heut Abend. — Denn viel zu spät
      wär's Morgen.
Pferd! Waffen! Laßt ein Schiff uns in Toulon besorgen!
Ein Schiff! — Auf Flügeln möcht' ich ziehn.
Nur einige Trümmer noch vom alten Heer der Sieger, —
Und ungenblicklich säht ihr diese Türkentieger
Vor uns, rasch wie Gazellen fliehn.

Führ uns, o Fabrier, sei wie ein Fürst gebeten,
Wo alle Kön'ge fehlten, da bist du aufgetreten,

Der du als Häuptling dieser Horden kamst,
Unter den neuen Griechen du, alter Römer's Schatten,
Der du in deine Hände, einfach und ohn' Ermatten
Das Schicksal eines Volkes nahmst!

Erwacht, erwacht von dieses Schlummers Länge,
Französische Gewehre und ihr, ihr Schlachtenklänge,
Bomben, Kanonen, heller Cymbelton!
Erwacht ihr Rosse, Säbel, denen fehlen
Des Blutes Tropfen, um sie recht zu stählen,
Pistolen mit zwiefacher Munition!

Denn ich will Kämpfe sehn, in Vorderreih'n stets weilen!
Will sehen, wie die Spahis gleich wildem Strome eilen
Und stürzen auf das Fußvolk sich;
Seh'n, wie ihr Damascener, vom Rosse fortgetragen,
Im Nu vermag ein Haupt gewandt vom Rumpf zu
                                    schlagen.
Fort! — — — doch ich armer Dichter, ich!

Wohin entführet mich die kriegerische Weise?
Es rufen mich zu sich die Kinder und die Greise
Ich, mich, den schon mit sich reißt ein Hauch, —
So wie ein Blatt, das von dem Baume abgefallen
Und mit der Welle muß von Fluth zu Fluthen wallen,
Gehn meine Tage hin in Traum und Rauch.

Es macht mich Alles sinnen; der Berg, die Felder, Bäume,
Es bringt der Flöte Ton den ganzen Tag mir Träume,
Des Laubes Flistern reißt mich hin.
Wenn bei des Abends Wehn die letzten Strahlen schwinden,
Lieb ich den klaren See im tiefen Thal zu finden,
Wo sich die Wolken spiegeln drin.

Ich lieb' es, wenn den Mond ich sehe glühend leuchten,
Aufsteigen aus dem Nebel, dem grauen, dichten, feuchten,
Mehr, wenn die dunkle Wolke er erhellt.
Die schwarzen, schweren Karren mag' ich gern Nachts
gewahren,
Die bei des Pachthof's Schwelle lärmend vorüberfahren
Und machen, daß der Hund im Dunkeln bellt.

V.

Kriegsruf des Mufti.

Hierro, des pierta — te!
Eisen, erwache!
Kriegsgeschrei der Almogavaren.

Zum Krieg die Krieger! Mahomet, Mahomet! treu!
Die Hunde beißen die Tatze dem schlafenden Leu
Und heben kühn ihr schändliches Haupt!
Die gläubig ihr den Worten des Propheten lauscht,
Erschlagt die Wankenden, vom Wein berauscht,
Die Männer, denen nur ein Weib erlaubt.

Mit seinen Königen falle der Franken verflucht Geschlecht,
Spahi's, Timarioten, werft, schleudert! treffet recht! —
Mitten in das Gefecht, in die Gefahr,
Turban und Säbel, eurer Hörner Schall,
Die scharfen Bügel, gold'ne Dreieck all',
Und eure Rosse, mit dem wilden Haar!

In Jeglichem von euch lebe Othman, Orthogrul's Sohn;
Der Eine habe den Blick, der Andere den zürnenden Hohn.
Auf, Führer! laßt mich euch ziehen sehn.
Wir nehmen dich wieder, Stadt, mit den Kuppeln von Azur,
Weiche Setimah, die in unreiner Sprache nur
Diese Babaren nennen Athen!

VI.

Der Schmerz des Pascha.

Von Allem getrennt was mir theuer
war, verzehre ich mich einsam und verlassen.
Byron.

— Der Derwisch sprach: Was mag denn Allah's Schatten
haben?
Es ist so reich sein Schatz, so arm sind seine Gaben,
So finster, unbeweglich, geizig, lacht bitter er.
Hieb in des Vaters Säbel vielleicht er schlimme Scharten?
Sah er, von den Soldaten, die des Befehls nicht warten,
Aufbrausen das erregte Meer?

Was hat der Pascha denn, was fehlet dem Veziere?
Fragten, in Brand die Lunten haltend, die Bombardiere.
Quälten die Imans gar dieß Eisenhaupt vielleicht?
Brach er den Ramazan? Haben sie ihm, im Traume,
Den Engel Azrael, der an der Erde Saume
Hoch auf der Höllenbrücke steht, gezeigt?

Was fehlt ihm nur? so murmeln die Jeoglans betroffen,
Hat in den wilden Strömen ein Schiffbruch wohl getroffen

XVI.   4

Die Ladung Wohlgerüche, die ihn verjüngen kann?
Ob seinen Ruhm man ihm in Stambul nicht verzeihet?
Hat ein Zigeunerweib vielleicht ihm prophezeihet:
Der finstre Stumme komme an?

Was hat der süße Sultan? so fragten die Sultanen, ·
Traf er mit seinem Sohn gar unter den Platanen
Die braune Favoritin mit ihrem Lockenhaar?
Hat in sein Bad ihm schlechte Essenzen man geschüttet?
Sah in des Fellah's Sack, im Staube ausgeschüttet,
Ein Haupt er, das für sein Serail erwartet war?

Was fehlt denn unserm Herrn? So quälen sich die
                                          Sklaven.
Sie irren sich. — Ach! wenn, verloren für die Braven
Gleich einem Krieger sitzend, der sich beleidigt fühlt,
Dem Greise, gleich unfähig der Jahre Last zu tragen,
Er seit drei langen Nächten und seit drei langen Tagen
Mit seinen Händen seine Stirn zerwühlt.

So ist es nicht, weil er sah die Empörer stürmen,
Und ihn belagern in des Harem's festen Thürmen,
Bis in sein Schlafgemach schleudern den Feuerbrand;
Nicht, weil des Vaters Schwerdt ihm stumpf ward in
                                          den Händen,
Nicht, weil er Azrael sah an der Erde Enden
Nicht, weil im Traum der Stumme vor ihm stand.

Ach! volles Recht ließ er den Fasten wiederfahren,
Bewacht ist die Sultane, sein Sohn zu jung an Jahren;
Es ward kein Schiff vom Sturm dem Untergang geweiht;
Der Tartar brachte die gewohnte Last wie immer;
Nicht fehlt es dem Serail an Köpfen, Düften, Schimmer
In der einbalsamirten Einsamkeit.

Auch sind die Städte nicht in Trümmer, diese reichen;
Nicht Menschenknochen sind es, die in den Thälern bleichen;
Nicht Griechenland, die Beute der Söhne des Omar,
In Brand; nicht bitt're Klagen der Wittwen und der
Erben,
Kinder, die vor den Augen der armen Mütter sterben,
Noch Jungfrauschaft zum Kauf gebracht auf den Bazar.

Nein, nein, sie sind es nicht die finsteren Gestalten
Die, wie mit blut'gem Strahl das dichte Dunkel spalten,
Zurück im Herzen lastend der Reue bitt're Noth. —
Was hat er denn der Pascha, da sich die Krieger sehnen
Nach ihm, der trüb und sinnend sitzt, wie ein Weib, in
Thränen....? —
Es ist sein Königstieger todt.

VII.

Lied der Seeräuber.

Wir führten in der Knechtschaft Bande
Ein hundert Christen, Fischer, fort,
Und raubten für den Harem, dort
In allen Klöstern auf dem Strande.
Ihr kecken Räuber, auf das Meer!
Wir zogen von Fetz nach Catane
Und waren auf der Capitane
Wohl achtzig tücht'ge Ruderer.

Ein Kloster dort — die Anker fallen
Gar schnell, am Ufer dicht dabei;
Und unsern Blicken zeigt sich frei
Ein Mädchen aus den frommen Hallen,
Ganz ungestört schlief sie am Meer,
So ruhig unter der Platane. —
Wir waren auf der Capitane
Wohl achtzig tücht'ge Ruderer.

Mein schönes Mädchen, du mußt schweigen,
Du folgst uns jetzt. — Gut ist der Wind,
Du wechselst nur das Kloster, Kind,
Der Harem wird sich auch so zeigen.

Der Sultan liebt die Knospen sehr,
Wir heilen dich vom Christenwahne. —
Wir waren auf der Capitane
Wohl ächtzig tücht'ge Ruderer.

Nach der Kapelle will sie fliehen —
— Du wagst es wirklich, du, Satan! —
— Wir wagen's, spricht der Capitan; —
Sie weint, sie flehet auf den Knieen. —
Ob sie auch schrie und lärmte sehr,
Wir trugen sie in die Tactane.
Wir waren auf der Capitane
Wohl achtzig tücht'ge Ruderer.

Die Trauer hat ihr nichts genommen.
Ihr Blick glich einem Talismann;
Sie galt uns wohl tausend Toman;
Es hat der Sultan sie bekommen.
Ob sie auch weint' und klagte sehr,
Erst Nonne ward sie, nun Sultane; —
Wir waren auf der Capitane
Wohl achtzig tücht'ge Ruderer.

VIII.

Die Gefangene.

Man hörte den Gesang der Vögel, so
harmonisch wie die Poesie.
Sadi Gulistan.

Ach! wär' ich nicht gefangen,
So lieb' ich diesen Strand.
Der Wellen sanftes Klagen,
Das maisbebaute Land.
Die ungezählten Sterne,
Wenn Abends in der Ferne
Nicht Spahisäbel blinkten
Im Schatten dunkler Wand.

Kein Tartarmädchen bin ich,
Daß ein Eunuche mir,
Der Zither Saiten stimmet
Und hält den Spiegel hier.
Von Sodom weit entlegen,
Darf man Gespräche pflegen
Mit jungen Männern Abends
Im Land, das Wiege mir.

Doch lieb' ich ein Gestade
Wo niemals, eisbeschwingt,
Der kalte Hauch des Winters
Durch offne Fenster dringt;
Wo Sommers warmer Regen;
Der Käfer, der verwegen
Umherschwirrt, gleich Smaragden
Und in dem Grase blinkt.

Smyrna ist eine Fürstin
Mit ihrem schönen Kranz;
Und ihren Ruf erwiedert
Der Frühling stets im Glanz.
Wie frisch die Blumen glühen
Und in der Schale blühen,
So zeigen frische Inseln
Sich rings im Wogentanz.

Die rothen Thürme lieb' ich,
Die Fahnen voll und reich;
Die blanken, goldnen Häuser,
Dem Kinderspielzeug gleich.
Ich lieb' es, in den Räumen
Der Zelte, süß zu träumen,
Die Elephanten tragen,
Behaglich, sanft und weich.

In diesem Feenpallaste
Glaubt gern mein Herz, beschwingt,
An die erstickte Stimme,
Die aus der Wüste dringt.
Den Genien zu lauschen,
Dem anmuthsvollen Rauschen,
Des Liedes, das in Lüften
Ein Geist süß tönend singt.

Ich liebe jene Düfte,
Die dieses Land erzeugt,
Das Laub, das an den Fenstern
Den goldnen, sanft sich beugt;
Das Wasser aus der Quelle
Am Palmbaum klar und helle,
Den weißen Schwan, der aufwärts
Zum Minaret entfleucht.

Ich lieb' auf moos'gem Lager
Ein schmachtend spanisch Lied
Zu singen, wenn den Reihen
Süß die Gefährtin zieht.
Wenn flüchtige Gestalten
Sich in dem Tanz entfalten,
Und unter'm Sonnenschirme
Der Reigen naht und flieht.

Ich liebe, wenn das Lüftchen
Des Abends mich umfängt,
Mag in der Nacht gern sitzen,
In holdem Traum versenkt.
Der Blick ruht auf den Fluthen,
Nach heißen Tages Gluthen,
Indessen bleich und silbern
Der Mond in's Meer sich senkt.

IX.

Mondschein.

Per amica silentia lunae.
Virgilius.

Der Mond schien heiter auf den Wellen spielend;
Das Fenster ist dem Abendhauch geräumt;
Die Sultanin blickt auf das Meer, das wühlend
Mit Silberfluth die schwarzen Inseln säumt.

Die Zither sinkt aus ihren Händen klingend;
Sie lauscht — ein dumpfer Lärm das Echo trifft.
Ist es ein türkisch Fahrzeug fernher dringend,
Das durch den Archipel, mit Tartarruder, schifft?

Sind es Seeraben rasch die Fluth durchstreifend,
Die perlend rollt von ihrem dunkeln Flügel?
Ist es ein Djinn mit heis'rer Stimme pfeifend,
Der Thurmesspitzen schleudert von dem Hügel?

Wer trübt die Fluth bei dem Serail der Frauen?
Seeraben nicht, sich wiegend auf den Wogen;
Kein Stein ist fallend von dem Thurm zu schauen;
Kein türkisch Schiff kommt rudernd hergezogen.

Nein, Säcke sind's, die Seufzer leicht bewegen;
Wohl sähe man, das dunkle Meer durchwühlend,
Gestalten sich in ihrem Innern regen. — —
Der Mond schien heiter auf den Wellen spielend.

X.

Der Schleier.

Haſt du heute Abend gebetet, Deskemona?
Shakſpeare.

Die Schweſter.

Sprecht, was habt ihr, meine Brüder,
Warum ſchaut ihr aufwärts nicht?
Eure Blicke funkeln gräßlich,
Wie des Grabgewölbes Licht.
Eure Gürtel ſind zerriſſen,
Und ſchon blinkt zum dritten Mal
Halb gezogen aus der Scheide
Unter eurer Hand der Stahl.

Der älteſte Bruder.

Schlugſt du nicht heute deinen Schleier auf?

Die Schweſter.

Aus dem Bade kehrt' ich, Bruder,
Von dem Bad kam ich zurück;
Wohl verhüllt vor der Gjauren
Und der Albaneſen Blick.

Als ich die Moschee erreichte
Und im Palankin geruht,
Lüftet ich den Schlei'r ein wenig
Vor dem Druck der Mittagsgluth.

Der zweite Bruder.

Da ging ein Mann vorüber — in grünem Kaftan — nicht?

Die Schwester.

Ja . . . vielleicht — doch meine Züge
Hat der Kühne nicht gesehn. —
Doch ihr sprecht mit leiser Stimme,
Heimlich — o was soll geschehn?
Wollt ihr Blut? — bei meiner Seele!
Brüder, — er hat nichts geschaut —
Gnade! — wollt ein Weib ihr tödten,
Schwach und nackt, euch anvertraut?

Der dritte Bruder.

Die Sonne war blutroth im Untergehn.

Die Schwester.

Gnade — wehe mir! Vier Dolche
Dringen mir in's Herz hinein!
Laßt mich eure Knie umfassen
O mein Schleier, weiß und rein.

Flieht nicht meine blut'gen Hände;
Brüder, unterstützet mich!
Ueber meinen Blick im Brechen
Legt ein dichter Schleier sich.

Der vierte Bruder.

Den Schleier schlägst du wenigstens nicht auf.

XI.

Die Favoritſultanin.

Falſch wie die Welle.
Shakſpeare.

Hab' ich für dich, ſchöne Jüdin,
Nicht den Harem faſt geleert?
Dulde, daß die Andern leben,
Soll denn ſtets ein Beilhieb folgen
Jedem Fächerſchlag von dir?

Ruhe aus, o junge Herrin,
Und begnadige die Schaar!
Du biſt Sultanin und Fürſtin,
Laß ſie nun in Frieden; fordre
Ihren Tod nicht jede Nacht.

Zu mir, wenn du ſolches ſinneſt,
Kommſt du zärtlicher heran;
Immer ſeh ich bei den Feſten,
Daß du Häupter willſt verlangen,
Wenn dein Blick viel ſanfter wird.

Eiferſüchtigſte von Allen!
Herz von Stahl und doch ſo ſchön!

Meinen Gattinnen verzeihe, —
Sterben denn des Rasens Blumen
In der Rose Schatten hin?

Bin ich nicht ganz dein? Was thut es,
Wenn dich fest mein Arm umschlingt,
Daß umsonst vor meiner Pforte
Hundert Frauen sich verzehren
Tieferseufzend, gluthdurchzuckt?

Laß sie immer dich beneiden
In der tiefen Einsamkeit;
Laß sie, wie die Wege, ziehen;
Laß sie leben; dein die Erde,
Dein mein Leben und mein Thron!

Dein, mein ganzes Volk, erzitternd;
'Stambul dein, das hier am Saum
Tausend Spitzen aufwärts richtend
Sich im Meer wiegt, einer Flotte
Gleichend, die vor Anker schläft.

Dein und nimmermehr der Andern,
Meine Spahi's, schön geschmückt,
Die dicht auf einander folgen,
Fliegen, auf dem Roß sich bückend,
Wie die Rud'rer auf der Bank.

Cypern dein, mit alten Namen,
Dein Baffora, Trapezunt,
Fez, so reich an Goldstaub, Mosul,
Wo die Welten Handel treiben,
Erzerum so schön gebaut.

Smyrna dein, mit neuen Häusern,
Die, gebleicht von bittrer Fluth.
Dein der Ganges, den die Wittwen
Fürchten; dein, die mit fünf Flüssen
In das Meer, die Donau, fällt!

Fürchtest du die Griechenmädchen?
Lilien von Damanhour?
Fürchtest du die heißen Augen
Von der Negerin, sich bäumend
Wie die Tigerin, vor Lust?

Was thut mir, geliebte Jüdin,
Schwarzer Busen, Rosenstirn.
Bist nicht weiß noch kupferfarben,
Doch du scheinest mir vergoldet,
Wie von einem Sonnenstrahl.

Rufe auf die niedern Blumen
Nicht, o Fürstin, mehr den Sturm;

XVI.   5

Freu' dich deines Siegs in Frieden,
Ford're nicht, daß deinen Thränen,
Falle jedes Mal ein Haupt!

Denke der Platanen Kühle,
Denk' an's schön gewürzte Bad,
An den Golf mit den Tartanen;
Wie der Dolch muß Perlen haben
So Sultanen der Sultan.

XII.

Der Derwisch.

Ali ritt einst vorbei. Die höchsten Häupter schauten
Zu Boden; jede Stirne war gleich mit der Arnauten
Fuß; „Allah!" sagte Jedermann.
Da trat ein Derwisch vor, alt, finster von Geberde;
Er machte durch den Schwarm sich Bahn, des Pascha's
Pferde
Fiel in den Zaun er und hub an:

„Ali=Tepeleni! der Lichter Licht! gesessen
Im Divan auf dem Sitz der·Ersten! Pascha, dessen
Ruhm täglich sich zu mehren sucht!
Hör' mich, Wessir des Heers, Besitzer von Fregatten!
Erhabner!· Schatten deß, der da ist Gottes Schatten:
Du bist ein Hund nur, und verflucht!

Ein Grablicht, unbewußt dir selbst, erhellt dein Leben;
Wie ein zu voll Gefäß sieht auf dein Volk mit Beben
Man dich ausgießen deine Wuth!
Wie eine Sens' im Gras, glühst du auf ihren Stirnen;
Zum Kitt, um aufzubau'n dein Lustschloß, macht dein
Zürnen
Ihr Mark, zermalmt in ihrem Blut!

5*

Doch auch dein Tag erſcheint! Gott ſpricht: zu Trümmern
werde
Dieß Janina! — weit wird ſich unter dir die Erde
Aufthun, und dich verſchlingen! Hör',
Ein eiſern Halsband wirſt am Baum Seyni du finden,
Auf deſſen Äſten ſich gottloſe Seelen winden;
Die Qual der Hölle quält ſie ſehr!

Nackt wird dein Geiſt entflieh'n! dein offnes Schuldbuch
zeigen
Wird ernſt ein Dämon dir! o, er iſt ſtreng! verſchweigen
Wird er dir deine Opfer nicht!
Du wirſt ſie ſehn! ſie ziehn dir durch die ſchwarze Pforte
Der Hölle blutig nach, zahlreicher als die Worte,
Die zagend deine Seele ſpricht.

So wird es dir geſcheh'n! von deinen feſten Städten
Wird keine dich, auch nicht dein Heerzug wird dich retten,
Und was du ſonſt beſitzen magſt;
Selbſt nicht, wenn ſterbend, gleich dem ſündigen Hebräer,
Mit falſchen Namen du der Hölle Pfortenſteher
Den himmliſchen, zu täuſchen wagſt!"

In ſeinem Kaftan trug der Paſcha drei Piſtolen,
Sein krummer Säbel hing herab zu ſeinen Sohlen,

Man sah des Dolchgefäßes Schmelz.
Den Zürnenden ließ er ausreden, neigt schweigend
Die träumerische Stirn; darauf, vom Pferde steigend,
Gab er ihm lächelnd seinen Pelz.

F. Fr.

XIII.

Das feste Schloß.

Was denken diese Fluthen, die ohne Murmeln feuchten
Die Seiten dieses Felsens, die wie ein Harnisch leuchten?
Wie? Sahen sie denn in dem eignen Spiegel nicht,
Daß dieser Fels, des Fuß zerreißt ihr Eingeweide,
Auf seinem Haupte trägt der Feste weiß Geschmeide,
Die wie ein Turban um die schwarze Stirn sich flicht?

Was thun sie? — Gegen wen ist's, daß den Zorn sie
                                        hüten?
Gegen das Vorgebirge, das alte magst du wüthen
O Meer! Gewähre nur, daß der Matrose ruht. —
An diesem Felsen nage! Mit seinem hohen Neste
Schwank' er und neige sich; die starke weiße Feste,
Sie stürze, mit dem Haupt voran, in deine Fluth!

O sage, wieviel Zeit mußt, treues Meer, du haben,
Um diesen Felsen mit der Festung zu begraben? —
Ein Tag, ein Jahr, wie? oder ein Jahrhundert? —
                                        Sprich. —
Laß deine gelbe Fluth stets um den Fuß sich breiten,
O unerschöpflich Meer, was sind denn alle Zeiten,
Wohl mehr als eine Welle, in deinem Schlund, für dich?

Verschlinge diesen Riff! Verwisch' ihn mit den Wogen,
Wenn unaufhörlich sie darüber hingezogen!
Durch grünbehaarte Algen entstelle die Gestalt!
In deinem Schooß, bring' ihn zur Ruhe unter Stürmen,
Und jede Welle nehme, von seiner Feste Thürmen,
Stets einen Stein mit sich, wenn sie vorüber wallt:

Daß nichts mehr davon bleibe, und Jeder ohne Grauen
Aufathme, Ali Pascha's Thurm fortan nicht zu schauen;
Und daß dereinst, wenn dem befleckten Strand er nah,
Im finstern Meer, der Schiffer von Kos, den Wirbel
                                                  sehend,
Deß Mittelpunkt sich höhlt, am Steuerruder stehend,
Den stummen Passagieren zuruft: Da war's, da!

XIV.

Türkischer Marsch.

Lä — Allah — Ellàllah!
          Koran.
Il n'y a d'autre dieu que Dieu.

An meiner Seite trieft mein Dolch von schwarzem Blute,
Und meine Streitaxt klirrt am Sattel meiner Stute.

Den wahren Sohn des Kriegs ehr' ich und lieb' ich! Graut
Nicht Belial vor ihm? Er küßt mit Furcht und Liebe
Des Vaters Bart! Wich je sein Turban einem Hiebe?
Sein alter Säbel ist ihm werth, wie eine Braut;
Sein Dolman ist durchbohrt von Stichen; sie bedecken
Ihn ganz; kaum ist besä't mit so viel runden Flecken
Des königlichen Tigers Haut.

An meiner Seite trieft mein Dolch von schwarzem Blute,
Und meine Streitaxt klirrt am Sattel meiner Stute.

An seinem Arme tönt und glänzt ein Kupferschild,
Roth, wie der Mond, wird es von einem Hof umgeben.
Sein Pferd kau't ein Gebiß, an dem Schaumtropfen kleben;
Ein wirbelnd Staubgewölk folgt ihm durch das Gefild.

- 73 -

Sprengt auf dem Pflaster, daß es bebt, ein solcher Streiter,
So staunt das Volk und spricht: Es ist ein Türkenreiter,
O seht, wie reitet er so wild!

An meiner Seite trieft mein Dolch von schwarzem Blute,
Und meine Streitart klirrt am Sattel meiner Stute.

Wenn hunderttausend Giaurs zusammenruft das Horn,
Dann giebt er Antwort, fliegt und stößt mit muth'gem
                                        Grimme
In die Trompete, daß weithin schallt ihre Stimme;
Er tödtet; jeder Feind, der fällt, mehrt seinen Zorn.
Des Kaftans Scharlachroth frischt mit der Blutes Röthe
Er auf; sein Roß wird matt, doch daß er mehr noch tödte,
Klopft schmeichelnd er's, und giebt den Sporn.

An meiner Seite trieft mein Dolch von schwarzem Blute,
Und meine Streitart klirrt am Sattel meiner Stute.

Gern seh' ich, siegt er, daß, sobald das Horn verklingt,
Sklavinnen, schwarz von Aug' und Wimper, sich ihm zeigen
Laß er die Imans, die dein Minaret ersteigen,
Bei Nacht Wein trinken läßt und selbst bei Tag ihn trinkt,
Daß nach dem Kampf er schwärmt, und noch vom Schlagen
                                        heiser,
Mit lauter Stimme lacht, und als ein wahrhaft Weiser
Die Houri's und die Liebe singt.

An meiner Seite trieft mein Dolch von schwarzem Blute,
Und meine Streitaxt klirrt am Sattel meiner Stute.

Ernst sei er, kühn und schnell im Rächen jeder Schmach;
Mehr lieb' er das Geklirr' des Schwerts, als was auf Erden
Die Andern lernen, um in Ruhe alt zu werden.
Er denke nicht dem Tag', wo Alles aufhört, nach,
Dem Tage, wo die Sonn' erlischt, wo Feuergarben
Man sieht. Furchtlos sei er! Wohl ihm, wenn lieber Narben
Als Runzeln, er besitzen mag.

An meiner Seite trieft mein Dolch von schwarzem Blute,
Und meine Streitaxt klirrt am Sattel meiner Stute.

So ist, Comparadgi, Spahi, Timariot,
Der wahre, gläubige Soldat! Wer mit der Zunge
Nur sicht und weibisch bebt, wenn er zu wildem Sprunge
Sein Thier anspornen soll; wer stets beim Aufgebot
Zuletzt erscheint; wer, wenn ein Festungswall erstiegen,
Die Achsen nicht mit Raub beschwert, daß sie sich biegen,
Daß jede zu zerbrechen droht.

An meiner Seite trieft mein Dolch von schwarzem Blute,
Und meine Streitaxt klirrt am Sattel meiner Stute.

Wer gern mit Weibern spricht; bei einem Kriegerfest
Nicht mitzureden weiß von eines Hengsts Geschlechte;
Wer außer sich nach Kraft und Freuden sucht; wer Nächte
Und Tage schwelgerisch die Dirnen nicht verläßt;

Nicht auf der Reitbahn, nur im Harem wird gefunden,
Den Brand der Sonne scheut, liest, und den Christenhunden
Den Wein von Cypern überläßt.

An meiner Seite trieft mein Dolch von schwarzem Blute,
Und meine Streitart klirrt am Sattel meiner Stute.

Der ist ein Feiger, und kein Krieger! Höre mich!
Den sieht man niemals im Gefecht, wie er die Hacke
Schwingt, und den Renner spornt, daß er mit der
                                        Schabracke
Den Boden streift, sieht nicht, wie er im Bügel sich
Aufrichtet! — Er ist gut zu einem Maulthiertreiber!
Auch mag er Formeln, wie die Priester und die Weiber,
Abmurmeln, leis' und feierlich!

An meiner Seite trieft mein Dolch von schwarzem Blute,
Und meine Streitart klirrt am Sattel meiner Stute.

                                        Fr.

XV.

Die verlorene Schlacht.

Stützend seine schweren Glieder
Auf den Wurfspieß, schaut er nieder,
Von dem Hügel auf die Schlacht;
Sieht sein flüchtend Heer sich drängen,
Und in Fetzen sieht er hängen
Seines Zeltes Sammetpracht.
        Em. Deschamps,
        Roderich während der Schlacht.

„Allah! wer wird zurück mein furchtbar Heer mir geben?
Wer meine Reiterei, die wiehernde, beleben?
Und wer auf's Neue baut mein prächtig Lager mir,
Daß Nächtens lodern ließ, so viele Flammenbrände,
Daß es dem Auge schien, als ob der Hügel stände,
In einem Sternenregen schier?

Wer giebt mir meine Bey's zurück, in ihrer rothen,
Lang weh'nden Pelze Schmuck? Wer euch, Timarioten,
Die zum Gefecht ihr flog't, mit wildem Kriegesruf?
Wer euch, ihr bunten Khans, und euch, ihr meine kecken,
Schwarzbraunen Araber, die ihr, des Landmanns Schrecken,
Das Maisfeld zeichnetet mit eurer Rosse Huf?

Ha, diese Renner all', mit ihren dünnen Schenkeln,
Ich sehe sie nicht mehr durch diese Wiesen plänkeln,
Leicht, mit der Schnelligkeit des aufgescheuchten Reh's!
Ich sehe sie nicht mehr, umsonst vom Tod gelichtet,
Gewitterwolken gleich, vor welchen Alles flüchtet,
Sich stürzen über die Quarré's!

Todt sind sie: Staub und Schweiß besudeln ihre Decken;
Auf ihrem Kreuz zerrinnt das Blut in schwarzen Flecken;
Für immer ist erlahmt ihr sonst so schneller Bug.
Und neben ihnen ruh'n die Reiter, frisch erschlagen,
Die gestern schlummernd noch in ihrem Schatten lagen,
Als um die Mittagszeit Halt machte jeder Zug.

Allah! wer wird mein Heer, das blut'ge, mir ersetzen?
Da liegt es, ausgestreut im Felde, gleich den Schätzen,
Die des Verschwenders Hand sä't auf des Marktes Raum!
Ha! Pferde, Reiterei, Beduinen und Tartaren,
Ihr Trab und ihr Galopp, Gewieher und Fanfaren,
Es ist mir Alles wie ein Traum!

O meine kühne Schaar und ihre treuen Pferde!
Vergessen habt ihr nun, auf dieser blut'gen Erde,
Den Säbel, das Gebiß und des Gefechtes Brunst.
Wer durch die Eb'ne geht, muß über Leiber schreiten:
Das ist ein Unglücksfeld für lange, lange Zeiten;
Heut' Abend Blutgeruch, und morgen Leichendunst!

Allah! es war ein Heer, und ist nur noch ein Schatten!
Sie schlugen wacker sich, und ohne zu ermatten,
Vom Frühroth bis zur Nacht; sie kämpften Mann an Mann!
Nur rinnt der Abendthau in ihrer Wunden Klaffen;
Die Tapfern endigten: sie ruh'n auf ihren Waffen,
Die Raben aber fangen an.

Einher schon flattern sie, vom kahlen Vorgebirge,
Daß gierig über's Feld ihr krummer Schnabel würge;
Sie haben hackend sich an's Leichentuch gesetzt.
Ha! diese gestern noch vom Muthe trunk'nen Schaaren,
Dieß mächt'ge Kriegesheer, ist heut' ein Raub der Aaren,
Und keinen Raben selbst kann es verscheuchen jetzt!

O, hätt' ich noch dieß Heer, in seinen weißen Zelten!
Mit seinem Ungestüm, erobern wollt' ich Welten;
Ich ließe Könige beherrschen sein Gebot;
Als Weib umarmt' ich es, auf blut'ger Hochzeitsbühne; —
Doch wie befruchtete so viel entschlaf'ne Kühne
Der unfruchtbare Gatte Tod?

Fluch! daß kein feindlich Schwert zerschmettert' meinen
                                            Schädel!
Noch gestern war ich groß; — drei Führer, stolz und edel,
Sie saßen regungslos, anziehend das Gebiß,
Auf der getigerten Schabracke weichem Felle,
Und flattern ließen sie auf meines Zeltes Schwelle
Drei Banner, die dem Kreuz der Rosse man entriß.

An meinem Auge hing der Blick von vierzig Baſſen,
Und ritt ich im Galopp durch meines Lagers Gaſſen,
So grüßte donnernd mich die Trommel, ſtraff geſpannt;
Kanonen, die ſich leicht nach allen Seiten drehten,
Auf ihren ſchwärzlichen, vierrädrigen Laffeten,
Spie'n Feuer, wenn ich hob die Hand.

Ha! geſtern Schlöſſer noch und Gärten, Städte, Brücken!
Griechinnen tauſendweis, ſie auf den Markt zu ſchicken!
Mir waren Arſenal und Harem niemals leer!
Und heute, blutbefleckt, geſchlagen und vertrieben,
Flieh' ich.. Von meinem Reich iſt Nichts, ach! mir geblieben;
Allah! ſelbſt keinen Thurm mit Zinnen hab' ich mehr!

Flieh'n muß ich, Großvezier und Paſcha! — jenen weiten,
Verhüllten Horizont noch muß ich überſchreiten!
Verſtohlen, wie ein Dieb, der durch das Dunkel flieht!
Der zitternd ſteht und horcht, ob etwas auch ſich rege,
Und ſchier in jedem Baum, der ſich erhebt am Wege,
Des Galgens düſter Schreckbild ſieht!" —

Die Worte Reſchid's dieß, der jüngſt ſo wild noch drehte.
Wir Griechen hatten heut' nicht mehr als tauſend Todte.
Er aber floh dieß Feld, dem er ein Heer gezollt.
Er wiſchte träumeriſch das Blut von ſeinem Säbel;
Zwei Pferde neben ihm zerkauten ihre Knebel,
Und leer um ihren Bug klirrte der Bügel Gold.

Fr.

XVI.

Die Schlucht.

Der schwarze Kamm der Berge wird durch die Schlucht
zerrissen;
Als wenn vom Kaukasus hinreisend zum Ledar,
Einst ein Titane, der nichts weiß von Hindernissen,
Sich über ihre Häupter bahnt den Pfad,
Mit seines Wagens ungeheurem Rad.

Wie oft ach! wandelten sie unsern schweren Zeiten
Die Wogen von der Christen und der ungläubigen Blut,
Wenn sie zugleich den Säbel so wie das Mitleid weihten,
Die Spur des Riesenwagens plötzlich in eines breiten
Uebergetretenen Bergstroms Fluth.

XVII.

Das Kind.

Die Türken waren da, zerstört ist rings die Flur;
Chios, die Traubeninsel, jetzt eine Klippe nur,
Chios, beschattet sonst von Laubgewinden,
Chios, das seine Wälder spiegelt in heller Fluth,
Die Hügel, die Palläste, und oft, wenn Alles ruht,
Den Chor von Jungfrau'n, die zum Tanz sich finden.

Verwüstet Alles; nicht doch, auf Trümmern und Gestein
Saß ein blauäugig, griechisch Kind allein,
Und beugte das gequälte Haupt.
Das Einzige, ihm Schutz und Stütze reichend,
War dort ein Weißdorn, blühend und ihm gleichend,
Vergessen, wo sonst Alles war geraubt.

Du armes Kind! mit nacktem Fuß auf dem Felsgestein,
Damit du rasch dir trocknest die süßen Augen dein,
Blau wie der Himmel und die Fluth,
Damit durch ihr Azur, in Zähren eingehüllt,
Der Blitz der Freude zucke, der Blick von Lust erfüllt,
Und daß dein Haupt du hebest wohlgemuth:

XVI.   6

Was wünschest du? was soll man dir denn bringen,
Um fröhlich wieder glatt und.schön mit Lust zu schlingen,
In Locken an die Schultern weiß und rein,
Die Haare, die das Eisen nicht entweihte,
Die, wie die Blätter auf der Trauerweide,
Herunter hängen auf die Stirne dein?

Was kann den finstern Schmerz zu scheuchen taugen?
Ist es die Lilie, so blau, wie deine Augen,
Die Ivan's finstern Brunnen rings bekränzt?
Die Frucht des Tuba, des so großen Baumes?
So, daß ein jagend Roß, inmitten seines Raumes,
Wohl hundert Jahr braucht, eh' es ihn umgrenzt.

Willst einen Vogel du in Wunderschöne,
Der süßer singt, als einer Flöte Töne,
Und lauter, als die hellen Cimbeln klingen?
Was willst du? Blume — Frucht — den Vogel — sag's
        geschwind!
„Freund,“ spricht das griechische, blauäugige Kind,
„Pulver und Kugeln mußt du bringen!“

———

XVIII.

Sara im Bade.

Le soleil et les vents, dans ces bocages sombres
Des feuilles sur son front faisaient flotter les ombres.
Alfred de Vigny.

Sara, schön durch träges Wesen,
Schaukelt leise
Sich im Hamak, der da hängt
Über eines Brunnens Becken,
Mit dem Wasser
Ganz gefüllt des Ilyssus;

Und die schlanke, leichte Schaukel
Scheinet wieder
Aus der hellen Spiegelfluth,
Mit der Holden, die sich badet,
Und sich drüber
Beugt, um sich darin zu sehn.

Jedes Mal, wenn in dem Fluge,
Rasch der Nachen
Schwankend an das Wasser streift,
Sieht in den bewegten Fluthen
Man erscheinen
Schönes Füßchen, schönen Hals.

6*

Mit dem Fuße schlägt die feuchte
Fluth sie schüchtern,
Runzelnd das so klare Bild;
Es wird roth ihr Marmorfüßchen;
Schelmisch lacht sie,
Ob der frischen, kühlen Fluth.

Bleib verborgen hier; verweile!
Heißen Blickes,
Siehst in einer Stunde du,
Aus dem Bad die Unbefangne
Arglos steigen,
Deckend mit dem Arm die Brust.

Denn ein Mädchen, das der klaren
Fluth entsteiget,
Ist ein Stern, der hell erglänzt;
Spähend, ob auch Niemand nahe,
Frostig schauernd
In der frischen, freien Luft.

Dort ist sie, im dichten Laube;
Es erschrecket
Sie das leiseste Geräusch;
Wie die Blüthe der Granate
Tief erröthend,
Wenn ein Käfer nur sie streift.

Alles sieht man, was die Kleider
Sonst verhüllen;
Und in ihrer Augen Blau
Gleicht ihr Blick, den nichts verschleiert,
Einem Sterne,
Der am blauen Himmel glänzt.

Wie von einer Pappel tröpfelt
Nun das Wasser,
Von dem zarten Leib herab,
Als ob tropfenweise fielen,
Alle Perlen
Ihres Halsgeschmeides hin.

Aber Sara zögert lange,
Unbekümmert,
Eh sie endet solches Spiel;
Immer schaukelt sie sich schweigend,
Flüstert leise
Dann, ganz leise mit sich selbst:

„Ambrabäder würd' ich nehmen,
Wenn ich wäre
Capitane, Sultanin,
In dem gelben Marmorbade,
Nah dem Throne,
Das von Greifen wird bewacht.

„Einen seid'nen Hamak hätt' ich,
Der sich bieget
Unter meiner Glieder Last;
Eine weiche Ottomane,
Die verbreitet
Liebeszauber = Wohlgeruch.

„Unbekleidet könnt' ich scherzen,
Unter'm Himmel,
In des Gartens hellem Bach;
Ohne Furcht, zu sehn im Schatten
Dunkeln Laubes
Scheu, zwei Augen, gluthentbrannt.

„Wer mich sehen wollte, müßte
Allem trotzen,
Wagen sein unruhig Haupt;
Des Heiduken bloßer Säbel,
Des Eunuchen
Schwarze Stirne drohte ihm.

„Ohne daß man meine Trägheit
Triebe, könnt' ich
Schleppen lassen mit dem Kleid,
Auf den breiten Quadersteinen,
Die Sandalen,
Mit Rubinen reich geschmückt."

Also spricht mit sich als Fürstin,
Unaufhörlich,
Voller Liebe schaukelnd sich,
Froh das junge Mädchen, lachend
Und vergessend,
Wie der Tag so rasch beschwingt.

Auf das Gras, von ihren Füßen
Wenig schonend,
Springt das Wasser rasch zurück;
Auf das Hemd mit reichen Falten,
Das sich schaukelt,
Aufgehängt an grünem Strauch.

Unterdessen eilet rüstig,
Nach den Feldern,
Der Genossen ganze Schaar;
Sehet dort den lust'gen Haufen
Weiter ziehend
Und sich fassend bei der Hand.

Jede, so wie Sara singend,
Zieht vorüber,
Und wirft ihr im Liede vor:
— „O das faule, faule Mädchen,
Das so spät sich
Anzieht an dem Erntetag."

XIX.

Erwartung.

Esperába, desperada.

Eichhorn, schwing' dich auf die Eiche,
Auf die schwankendsten der Zweige,
Die des Himmels Nachbarn sind.
Schwan, getreu den alten Thürmen,
Eile, fliege, wie in Stürmen,
Von der Kirche zu der Feste,
Von dem Thurm zum Wall geschwind.

Alter Adler, aus dem Horste,
Steig empor, empor vom Forste
Zu des Felsens ew'gem Eis;
Und du, die im Nest der Wüste,
Stets das Morgenroth begrüßte,
Steige, steige, rasche Lerche,
Auf, gen Himmel auf, voll Fleiß.

Jetzt denn von den höchsten Bäumen,
Von des Thurmes engen Räumen,
Von dem Fels aus Himmelshöhn,
Sagt mir, ob ihr durch das Dunkel
Seht den schlanken Helmbusch wallen,
Hört des Rosses Hufschlag schallen,
Könnt den Liebsten kehren sehn?

ʻXX.

Lazzara.

Und dieses Weib war sehr schön.
Buch der Könige XI., 2.

Seht wie sie läuft, o seht: auf staubbedecktem Pfad,
Auf weichem Rasen, über die volle grüne Saat,
Die dunkler Mohn mit seinen Blumen kränzet;
Auf ungebahntem Weg, auf eb'ner Bahn zumal,
Durch Wälder, über's Feld, und über Berg und Thal,
O seht, wie sie im Laufen glänzet!

Groß ist sie, sie ist schlank und wenn mit frohem Schritt,
Den Korb mit Blumen auf dem Kopf, sie vor uns tritt;
So scheinet sie, von fern gesehen,
Wenn sie die weißen Arme legt an ihr Haupt so schön,
Gleich einer Amphora mit Marmorhenkeln schön,
Wie sie in den zerfall'nen Tempeln stehn.

Sie ist voll Jugend und voll Lust, an Liedern reich;
Barfuß und nah dem See jagt sie von Zweig zu Zweig,
Die bunten, schillernden Libellen;
Sie lüftet ihr Gewand, geht, kommt, mit frohem Sinn,
Bleibt stehn, es gäben willig für ihre Füße hin
Die Vögel ihre Flügel, selbst die schnellen. —

Des Abends, wenn die Heerde bei ihrer Glöckchen Klang
Zur Heimath brüllend zieht mit langsam schwerem Gang,
Und Alle sich zum Tanz vereinen;
So sucht sie nicht, was sie zumeist zu schmücken pflegt:
Die Blume, die sie dann in ihren Haaren trägt,
Wird immer uns die schönste scheinen.

Omer, der alte Pascha von Negropont, wie gern
Hätt' Alles er gegeben für diesen lichten Stern;
Sein Schiff mit donnerndem Geschütze,
Geschirre seiner Pferde, die Wolle weiß und rein,
Der Heerden, sein Gewand, glänzend von Edelstein,
Und seine rothe seid'ne Mütze:

Die weiten Donnerbüchsen, seine Pistolen schwer,
Mit Silberknopf, von ihm nun abgenutzt so sehr,
Die Büchsen, deren Kugeln weithin eilen;
Den krummen Damascener; er hätte selbst verschenkt
Das Tigerfell, an dem sein gold'ner Köcher hängt,
Gefüllt mit der Mongolen Pfeilen:

Den Sattel mit den breiten Steigbügeln in den Kauf,
Und alle seine Schätze und den Schatzmeister drauf,
Seine dreihundert Concubinen;
Die Kuppel seiner Hunde, mit reichem gold'nem Band,
Und seine Albanesen, die tapfern, sonnverbrannt,
Mit ihren langen Karabinen: —

Franken und Juden mit dem Rabbi allzumal,
Den roth und grünen Kiosk und jeden Badesaal,
Deß Boden rings mit Mosaik umgeben;
Die hohe Feste die auf spitzen Winkeln ruht,
Und seine Sonnenwohnung sich spiegelnd in der Fluth,
Hätt' er so gern für sie gegeben. —

Sogar den Schimmel, den er im Serail erzieht,
Deß Schweiß mit Silberschaum die breite Brust umzieht,
Die gold'nen Zügel die ihn halten;
Sogar die Spanierin von Algier's Dey geschenkt,
Die wenn sie sich mit Anmuth, rasch im Fandango schwenkt,
Zart aufhebt der Basquina Falten.

Ein Pascha ist es nicht, ein Klephte nur ist's, der
Sie nahm und niemals etwas für sie gegeben her;
Die Armuth ist stets sein Begleiter:
Ein Klephte, der nur Luft und Wasser haben kann,
Und ein Gewehr vom Rauch wie Erz gebräunt, und dann
Der Berge Freiheit und nichts weiter.

XXI.

Wunſch!

Wär' ich das Blatt, mit dem im Wirbel
Des Windes Flügel raſch enteilt,
Das fort ſchwimmt von der Fluth getragen,
Bei dem das Auge träumend weilt.

So gäb' ich, friſch vom Zweig mich löſend,
Mich Preis dem leichten Morgenwind,
So wie den ſilberhellen Wogen
Des Bächleins, das aus Abend rinnt.

Noch weiter, als der Fluß im Rauſchen,
Noch weiter, als der dichte Wald,
Noch weiter, als die tiefen Schluchten,
Flög', eilt' ich, ohne Aufenthalt.

Noch weiter, als der Wölfin Höhle
Und als der Turteltauben Neſt,
Noch weiter, als wo in der Ebne
Am Quell drei Palmen wurzeln feſt.

Noch jenſeits jener Felſenkämme,
Um die ſich wild Gewitter drängen,
Und jenes See's, an deſſen Rande
So viele Sträucher niederhängen.

Noch weiter, als die dürren Länder
Des Häuptlings von dem Maurenheer,
Auf dessen Stirne noch mehr Runzeln,
Als wenn es stürmet auf dem Meer.

Und wie ein Pfeil, so flög' ich über
Den Spiegelteich von Arta dann,
Und jenen Berg, von dessen Gipfel
Korinth nicht Mykos sehen kann.

Doch eines Morgens, wie gefesselt
Mit übermächt'gem Zauberbann,
Hielt ich dann bei dem schönen Mykos
Mit seinen blanken Kuppeln an.

Dort eilt' ich zu des Priesters Tochter
Mit ihrem schwarzen Augenpaar,
Das an dem Fenster sang bei Tage
Und Abends vor der Pforte war.

Dann ruht' ich ganz nach meinen Wünschen,
Das fortgepflog'ne Blatt, mich aus,
Auf ihrer Stirne mich vermischend
Mit ihren Locken, blond und kraus.

So wie der Papagei, der schnelle,
Im gelben Kornfeld, oder auch
Wie in dem schönen Himmelsgarten
Die grüne Frucht auf gold'nem Strauch.

Und dort auf ihrem lieben Haupte
Wär' ich gewiß noch stolzer weit,
Als auf des Sultans Stirn' die Feder,
Und wenn auch nur für kurze Zeit.

XXII.

Die eroberte Stadt.

Die Flamme leuchtet, zehrt, König, wie du befohlen,
Und es erstickt ihr Brausen des Volkes Jammerschrei;
Wie dunkles Morgenroth die Dächer rings vergoldend,
So tanzt sie auf den Trümmern und flackert wild und frei.

Der Mond erhebt, ein Riese, sich mit den tausend Armen,
Die flammenden Palläste, sie werden rasch zum Grab;
Die Väter, Gatten, Frauen sind unter'm Schwert gefallen,
Und Raben stürzen gierig sich auf die Stadt hinab.

Die Mütter schaudern, — und die Jungfrauen beweinten
Die Jugend, die geschändete, im Rund,
Die wilden Rosse ihre Körper schleifen,
Zuckend, von Küssen und von Hieben wund.

Ein weites Leichentuch hat nun die Stadt umgeben,
Und Alles beugt sich still, wo sich erhebt dein Arm.
Die Priester traf das Schwert bei den Gebeten,
Ihr heilig Buch, es sank, nutzlos aus ihrem Arm.

Die Säuglinge, zerschmettert von den Pfosten,
Verathmeten; ihr Blut trinkt noch der Stahl;
Es küßt dein Volk den Staub von deinen Sohlen,
An deinen Fuß befestigt mit köstlichem Metall.

————————

·XXIII.

Lebewohl der Arabischen Wirthin.

Weil unser schönes Land dich nicht zu fesseln weiß,
Der Palme Schatten nicht, und nicht der gelbe Mais,
Die Füll' und Ruh' nicht, die uns krönen;
Weil es, o fremder Mann, das Herz dir nicht bewegt,
Wenn unsrer Schwestern Schaar die jungen Brüste schlägt,
Und tanzt zu deines Liedes Tönen:

Leb wohl! — Mit eigner Hand hab' ich für dich gezäumt,
Daß du es bänd'gen kannst, wenn es sich muthig bäumt
Dein Pferd, mit dem furchtlosen Auge;
Den Sand wühlt auf sein Huf; sein Kreuz ist rund
       und schön,
Und leuchtend, wie ein Fels im Schilfmeer, anzusehn,
Den glatt gespült der Brandung Lauge.

So ziehst du rastlos denn, und fürchtest nicht des Ritts
Ermüdung! Wärst du doch, wie sie, die trägen Schritts
Ihr Dach von Tüchern oder Zweigen
Man nie verlassen sieht, die Abends müßig vor
Des Zeltes off'ner Thür Erzählern leih'n das Ohr,
Und träumend zu den Sternen steigen!

O, hätteſt du gewollt! — warum auch mußt du ziehn? —
Wie gerne würde dir, im Zelt auf ihren Knieen,
Der Mädchen Eine Datteln reichen!
Gern hätte deinen Schlaf ſie mit Geſang bewacht,
Gern einen Fächer dir aus grünem Laub gemacht,
Die böſen Fliegen zu verſcheuchen.

Doch du ziehſt einſam fort! Frembling, ſehr ſtolz biſt du!
Aus dem Geſtein des Wegs ſieht deines Pferdes Schuh,
Den eiſernen, man Funken ſchlagen.
Im Schatten glänzt dein Speer; ſchon mancher Geiſt zerriß
An ihm die Flügel, ließ er in der Finſterniß
Vom Sturm ſich durch die Wüſte tragen.

Kehrſt du zurück, o dann, daß meine Hütte leicht
Du findeſt, ſteig' auf dieß Gebirg! ſein Rücken gleicht
Dem des Kameels! Haſt du erklommen
Den Berg, dann ſieh' umher! mein Hüttendach von Rohr
Iſt wie ein Bienenkorb; der Hütte einz'ges Thor
Sieht hin, von wo die Schwalben kommen!

Und kehrſt du nicht zurück, o ſchöner weißer Mann,
Der Mädchen dieſes Dorfs gedenk' zuweilen dann,
Die barfuß tanzen auf den Dünen!
Zugvogel, den ſein Hang von Land zu Lande treibt,
O, denke gern an ſie; denn dein Gedächtniß bleibt
Im Herzen Mancher unter ihnen!

XVI.

7

Leb' wohl denn! — Zieh' grad' aus! — Hüt' vor der
                    Sonne dich;
Uns bräunt das Antlitz sie, doch dir versengt ihr Stich
Die Rosen, die auf deinem glühen!
Hüt' vor der Alten dich, die zaubert — fleuch im Trab!
Vor ihnen auch, die Nachts mit einem weißen Stab
Auf's gelbe Sandfeld Kreise ziehen!

                           Fr.

XXIV.

Verwünschung.

Ed altro disse: ma non e'ho in mente.
Dante.

Und Andres sagt' er; doch es ist mir nicht
gegenwärtig.]

Er irre rastlos, jung, doch schon gebückt,
Auf grenzenlosem Sand, wo heiß die Sonne drückt,
Sobald sie uns sich zeigt;
Dem Mörder gleich, der in der Nacht entflieht,
So hör' er auch, wohin er immer zieht,
Den Tritt, der hinter ihm im Schatten schleicht.

Auf Gletschern, blank und scharf, wie eine Klinge,
Gleit' er und falle, falle er und schwinge
Sich auf, und halte sich mit seinen Nägeln an;
Statt eines Anderen auf's Rad getragen,
Betheur' er seine Unschuld, sei geschlagen
Kreuzweise an den Galgen dann.

Dort häng' er, mit der blaugefärbten Lippe,
Den Tod, ihm sichtbar nur, das scheußliche Gerippe,
Schau lächelnd dann zu ihm hinauf.
Sein Leichnam leide, stets noch so viel fühlend,
Wie an ihm nagt der Tod, mit seinen Zähnen wühlend,
Der langsam ihn zehrt auf.

7*

Er lebe nicht, und sei doch auch kein Geist;
Es möge Sonnengluth auf ihn zumeist
Und Regen wild in Güssen fallen;
Er wache plötzlich auf vom Schlaf und schwinge
Vergeblich sich und quäle sich und ringe,
Zerfleischt von gieriger Vögel Krallen.

———————

XXV.

Die zerhackte Schlange.

Übrigens haben die Weisen gesagt: Man
muß sein Herz nicht an vergängliche Dinge heften.
Sadi Gulistan.

Ich wache; Tag und Nacht träumt mein entflammtes Haupt
Und meine Wangen Thränen saugen,
Seit dem Albayda schloß, vom Grab geraubt,
Die herrlichen Gazellenaugen.

Sie hatte fünfzehn Jahre, ein Lächeln frei von Harme,
Und liebte mich, und hat mir fest vertraut,
Und kreuzte sie auf weißer Brust die Arme,
War es, als ob man einen Engel schaut.

Einst ging ich sinnend an des Meeres Strand,
Wo sich zwei Vorgebirge strecken,
Da war es, wo ich eine Schlange fand,
Die gelb und grün, mit schwarzen Flecken.

Und ihren Körper, den die Welle netzte,
Und der sich wälzt' in seinem Blut,
Das Beil in mehr als zwanzig Stück' zersetzte
Und es ward rosenroth durch ihn der Schaum der Fluth;

Die Ringe wandten kriechend sich und sterbend
Auf dem verlaßnen Sand,
Wo noch mit heißerm Roth von Blut sich färbend
Empor sie die gezackte Krone wand.

Und alle Stücke, sich zerrissen dehnend,
Sich kriechend windend nun:
Sie suchten sich, so wie die Lippen, sehnend,
Zum heißen Kuß es thun.

Und wie ich träumt' und fleht' zu Gott hinauf
In stummem Mitleid zu dem ew'gen Richter,
Schlug das bezahnte Haupt das Flammenauge auf,
Und sprach zu mir: „O Dichter!

„Bedaure dich allein; — weit gift'ger ist dein Gram
Und deine Wunde schmerzlicher und schlimmer:
Albayda, die der grimme Tod dir nahm,
Schloß die Gazellenaugen ach! auf immer.

„Der Beilhieb bricht auch deinen jungen Schwung,
Dein Sein und deine sämmtlichen Gedanken,
Um deinen letzten Schatz, deine Erinnerung,
Verstreut sich ranken.

„Dein Geist anmuthig, hell, mit weitem Flug,
Der, wie die Schwalbe steigend,
Den Himmel bald mit kühnem Fittig schlug,
Bald wieder sank, sich sanft zur Erde neigend,

„Stirbt jetzt, wie ich, bei der getrübten Fluth,"
Und seine Kräfte schwinden:
Er kann die Stücke, zuckend und voll Blut,
Nicht mehr verbinden.

XXVI.

Nourmahal die rothe.

No es bestia que non fu hy trobada.
Joan Lorenzo Segura de Astorga.

Es giebt kein Raubthier, das man da nicht fand.

Zwischen jenen schwarzen Felsen
Seht das finstre Dickicht ihr,
Das sich aufsträubt in der Eb'ne,
Einem Büschel gleich von Wolle,
Der des Widders Hörner schmückt.

Dort in ungebahntem Schatten
Brüllt der blut'ge Tiger wild,
Das erschreckte Löwenweibchen,
Brüllt der Schakal, die Hyäne
Und der scheck'ge Leopard.

Ungeheuer aller Arten
Kriechen dort: der Basilisk
Und die ungeheure Boa,
Die ein Baumstamm lebend scheinet,
Und der Hippopotamus.

Adler mit den rothen Augen,
Schlangen, böser Affen Schaar
Zischen, wie ein Schwarm von Bienen;
Und das Bambusrohr, im Gehen
Knickt der plumpe Elephant.

Dort lebt, was da heult und summet,
Jenes scheußliche Gezücht;
In dem Walde brüllt's und wimmelt,
Unter jedem Busche blitzt es,
Und es heult aus jeder Schlucht.

Nackt und einsam auf dem Moose,
Wär mir's besser dort im Wald,
Als vor Nourmahal der rothen,
Die mit sanfter Stimme redet,
Und mit süßen Augen blinkt.

XXVII.

Die Djinns.

E come i gru van cantando lor lai,
Facendo in aer di se lunga riga;
Cosi vid' io venir, traendo guai
Ombre portate dalla detta briga.

Dante.

Wall, Stadt
Und Port,
Der Gruft,
Ruhort;
Weiße Fluth,
Wo Wellen
Zerschellen, — —
Alles ruht.

In der Eb'ne
Lärm erwacht;
Nur das Wehen
Ist's der Nacht,
Das da kreist,
Wie ein Geist,
Dem ein Flämmchen
Folget meist.

Die Stimme lauter,
Wie Glöckchen, klingt,
Von einem Zwerge,
Der lustig springt.
Er flieht, beschwinget,
Im Tacte springet,
Und weiter dringet
Auf Wellensaum.

Das Geräusch kommt näher;
Echo wiederhallt.
Wie des Klosters Glocke,
Die verwünschte, schallt.
Wie der Lärm der Menge,
Wachsend im Gedränge,
Sterbend in der Länge,
Wieder steigend bald.

Gott! es ist die Grabesstimme
Von den Djinns, wie dröhnt sie nach!
Fliehen wir vor ihrem Grimme
Unter's sich're Treppendach.
Schon erlischt mir meine Lampe,
Des Geländers Schatten steigt
Aufwärts an der Mauer Rampe,
Bis den Giebel er erreicht.

Es zieht der Schwarm der Djinns vorüber,
Und Staub aufwirbelnd weiter rennt;
Der Eibenbaum im Flug zerschmettert,
Kracht, wie die Fichte, wenn sie brennt.
Der Haufe, schwer und doch so reißend,
Der wild sich durch den Raum bewegt,
Gleicht einer dunkelgelben Wolke,
Die einen Blitz im Schooße trägt.

Sie sind ganz nah', o laßt uns fest verrammeln
Den Saal, in dem wir trotzend sie verhöhnen.
Welch scheußlich Heer von Drachen und Vampyren!
O welches Lärmen, Krachen, Toben, Dröhnen!
Des Daches Balken weicht in seinen Fugen,
Und muß sich wie ein feuchter Grashalm biegen;
Die alte, rostzerfreß'ne Pforte zittert,
Als wollte sie aus ihren Angeln fliegen.

Der Hölle Schreien! Stimme, die zittert, stöhnt und
weint;
Der fürchterliche Schwarm, vom Nordwind hergebracht,
Hat sich gewiß, o Himmel! auf meinem Haus vereint,
Und von den schwarzen Schaaren die Mauer wankt und
kracht.

Es schwankt und knarrt und beugt sich gedrückt das
ganze Haus;
Man glaubt, es sei gerrissen aus seinem festen Grund,
Und wie ein welkes Blatt geschleudert weit hinaus,
Treib' es und schleudr' es wüthend der wilde Sturm=
wind rund.

Prophet! wenn deine Hand mich rettet,
Von den Dämonen wilder Nacht,
Sei meine Stirn' in Staub gebettet
Vor deiner Weihaltäre Pracht!
O laß an diesen treuen Pforten
Ersterben ihren Flammenodem!
Umsonst an diesen sichern Orten,
Laß tosen ihrer Flügel Macht!

Sie sind vorüber! Es bewegt
Die Schaar sich weiter; sie entflieh'n!
Nicht mehr an meine Pforte schlägt
Ihr Fuß, da rasch sie abwärts zieh'n.
Die Luft erfüllt der Ketten Klirren;
Doch wie der Schwarm vorüberfleugt,
Erzittert in dem Wald die Eichen,
Von seinem Flammenflug gebeugt.

Das Schlagen ihrer Flügel
Verliert sich nach und nach,
Verworren in der Eb'ne
Und schwächer allgemach,
Als zirpten nur die schrillen
Und aufgeregten Grillen,
Als fiele Hagel nieder
Auf ein verwittert Dach.

Wunderlicher Laute
Ton noch zu uns schallt,
So wie der Beduinen
Hornesruf verhallt.
Ein Gesang erhebt sich
Auf dem Flächenraum,
Und das Kind, süßträumend,
Träumet gold'nen Traum.

Dieses Lärmen,
Das sich legt,
Wie die Well' an's
Ufer schlägt,
Gleicht der Klage,
Die die Lippen
Einer Heil'gen
Sanft bewegt.

Man ahnt
Die Nacht . . . .
O horcht,
Es zieht,
Entflieht, —
— Ein Traum,
Und stirbt
Im Raum. —

XXVIII.

Sultan Achmet.

O! erlaube reizendes Mädchen, daß ich
meinen Hals mit deinen Armen umwickele.

Hafis.

Zu Juana aus Granada,
Die beständig singt und scherzet,
Sagte Sultan Achmet einst:
— Gern gäb' ich mein Königreich
Für Medina, und Medina
Gern für deine Liebe hin! —

— Werde Christ, erhab'ner König!
Denn die Lust ist ungesetzlich,
Die man in den Armen eines
Schwelgerischen Türken sucht.
Schon genug ist's an der Sünde,
Vor Verbrechen fürcht' ich mich. —

— Bei den Perlen, deren Kette
Glanz erhöht, o meine Herrin!
Deinen Hals, so weiß wie Milch,
Will ich thun was dir gefällt:
Wenn du mir vergönnst zu nehmen
Dein Halsband zum Rosenkranz. —

XXIX.

Maurische Romanze.

Dixò le: dime buen hombre
Lo que preguntarte queria.
Romancero.

Auf der Jagd ist Don Rodrigo,
Ohne Degen, ohne Harnisch.
Eines Sommertags, um Mittag;
Unter'm Laube auf dem Grase
Setzt sich nieder Don Rodrigo,
Den den Kühnen man genannt.

Haß verzehrt ihn wild und flammend,
An den Maurenbastard denkt er,
Seinen Neffen, deu Mudarra,
Dessen Bruder er getödtet
Einst durch seine blut'gen Pläne,
Sieben Infanten von Lara.

Um ihn in dem Feld zu finden,
Reist' er gerne durch ganz Spanien,
Von Figuera nach Setubal;
Einer von den Beiden stürbe.
In demselben Augenblicke
Kam ein Reiter hergesprengt.

XVI.   8

„Ritter, ob ein Chrift, ob Maure,
Schlafend unter'm Feigenbaume,
Leite Gott dich an der Hand." —
„Gott verftreue feine Gnaden
Auf dich, Reiter, der des Weges
Du bei mir vorüberziehft." —

„Ritter, ob ein Chrift, ob Maure,
Schlafend unter'm Feigenbaume,
Auf dem Rafen hier im Thal.
Rede, fage deinen Namen,
Daß man weiß, ob du den Helmbufch
Eines Tapfern oder Schurken
Wallend auf dem Haupte trägft." —

„Ift es das, was dich bekümmert?
Nun, von Lara, Don Rodrigo
Nennt man mich, nun weißt du es,
Donna Sancha meine Schwefter,
So hat's wenigftens ein Priefter,
Als er mich getauft, erzählt.

Unter'm Feigenbaume wart' ich.
Und von Alba nach Zamora
Sucht' ich den Baftard Mudarra,
Diefen Sohn der Renegatin,
Der ein Schiff des Maurenkönigs
Aliatar jetzt befehligt.

Sucht' er nicht mir auszuweichen
Würd' ich ihn alsbald erkennen,
Denn er trägt beständig mit sich
Unseren Familiendolch;
Ohne Scheide ist die Klinge,
Ein Agatstein glänzt im Knopfe.

Ja, bei meiner Christenseele!
Ja, von and'rer Hand, als meiner,
Findet nicht der Wicht den Tod.
Das ist Glück, um das ich buhle . . . ."
„Dich benennt man Don Rodrigo,
Don Rodrigo von Lara?

Nun denn, gnäd'ger Herr, der Jüngling,
Der dich nennt und mit dir redet,
Ist der Bastard Mudarra.
Ist der Rächer und der Richter,
Suche jetzt dir eine Zuflucht." —
Jener spricht: „Du kommst sehr spät."

„Ich, der Sohn der Renegatin,
Der befehligt die Fregatte
Aliatar des Maurenkönigs.
Ich, mein Dolch und meine Rache,
Alle drei im Einverständniß
Sind wir da!" — „Du kommst sehr spät."
8*

„Viel zu früh für dich, Rodrigo,
Wenn du nicht des Lebens müde
Bist .... Ha! dich erfaßt die Furcht;
Deine Stirn erbleicht; gieb Schurke
Mir dein Leben; deine Seele
Deinem Engel, mag er sie.

Wenn mein Dolch, der aus Toledo,
Und mein Gott mir hülfreich dienen;
Siehe meiner Augen Gluth,
Denn ich bin dein Herr, dein Meister,
Und ich reiße dir, Verräther,
Aus den Zähnen selbst den Hauch.

Endlich stillt in deinem Blute
Jenen Durst, der ihn verzehrt,
Donna Sancha's Neffe jetzt. —
Oheim, Oheim! du mußt sterben!
Keinen Tag mehr, keine Stunde" —
„Guter Neffe Mudarra!

Einen Augenblick nur warte,
Daß ich mir mein Schlachtschwert hole." —
„Keinen Aufschub geb' ich dir,
Als den meine Brüder hatten,
In der dunkeln Grabeshöhle,
Wohin du sie brachtest. — Noch!

Wenn ich bis zu dieser Stunde
Meine Klinge nackt bewahrte,
Henker! war's, weil ich gewollt,
Daß, die Renegatin rächend,
Meines Dolchs, mit dem Agate,
Scheide deine Kehle sei."

XXX.

Granada.

> Quien no ha visto a Sevilla
> No ha visto a Maravilla

Sei sie ferne oder nahe,
Spanisch oder Sarazenisch,
Nimmer giebt es eine Stadt
Die Granada, ohne Thorheit
Streitig macht der Schönheit Apfel,
Und die voller Grazie
Noch mehr Pracht des Orientes
Als die reizende entfaltet,
Unter schön'rem Himmelsblau.

Cadix hat seine Palmen, Murcia Orangenbäume,
Jäen des gothischen Pallast's seltsame Räume,
Sein Kloster hat Agreda von Sanct Edmund erbaut,
Segoria den Altar, daß Stufen Küsse weihen,
Die Wasserleitung mit drei Bogenreihen,
In der, von hohem Gipfel, den Bergstrom man erschaut.

Alers hat Thürme, Barcelona
Hebt auf einer Säule Spitze
Einen Pharus über's Meer;

Treu den Fürsten Arragoniens
Schließt Tudela in den Grüften
Ihren Eisenscepter ein;
Dunkle Schmieden hat Tolosa
Die Luftlöcher von der Hölle
Scheinen in der Nacht zu sein.

Den Fisch, der einst das Auge Tobias hat geheilet,
Spielt in dem Grund des Busens, wo Fontarabia weilet,
Es mischet Alicante die Glockenthürme mit
Den Minarets, Cordova mit seinen alten Gassen
Hat die Moschee, nicht kann der Blick die Wunder fassen;
Den Manzanares hat Madrid.

Bilbao, bedeckt mit Fluthen,
Ziehet einen grünen Rasen
Um die alten Mauern hin;
Medina, die ritterliche
Hüllt mit ihrer Fürsten Mantel
Ihre stolze Armuth ein,
Hat nur ihre Sykamoren,
Dankt den Mauren ihre Brücken,
Ihre Aquäducte Rom

Dreihundert Kirchen hat Valencia aufzuzeigen,
Das strenge Alcantara läßt sich im Winde neigen,

Die Türkenfahnen, an den Pfeilern aufgesteckt,
Und auf drei Hügeln von der Sonne froh beschienen
Schläft Salamanca ein, im Klang der Mandolinen,
Und wird von den Studenten urplötzlich aufgeweckt.

Tortosa liebt warm Sanct Peter;
Wie gemeiner Stein ist Marmor
In dem reichen Puycerda;
Tuy prahlt mit achteck'ger Feste;
Taragona mit den Mauern,
Die ein König einst erbaut;
Bei Zamora fließt der Douro,
Die Giralda hat Sevilla,
Toledo den Alcazar.

Pennaflor ist Marquise und Herzogin Girona;
Zum Kampfe stets bereit, schließt finster Pampelona
Eh es im Mondschein schlummert, der Thürme Gürtel fest;
Burgos weiß des Capitels Reichthümer auszubreiten:
Wie eine Nonne streng in ihrem Thun und Schreiten,
Bivar, die ernste sich erblicken läßt.

Alle diese Städte Spaniens
Breiten aus sich auf den Eb'nen,
Oder krönen hohen Fels;
Alle haben Citadellen,
Wo niemals des Sturmes Glocke

Von ungläub'ger Hand erklang;
Alle haben auf dem Dome
Hohe Thürme; doch Granada
Den Alhambra hat's allein.

O der Alhambra! der Pallast, deß gold'ne Räume
Mit Zauberklang die Geister, so wie im Reich der Träume,
Erfüllt; die Feste mit den Zinnen hehr beglückt,
Wo bei des Mondes Schein magische Worte klingen
Wenn seine Strahlen durch die tausend Bogen dringen
Und er mit weißem Klee die Mauern schmückt.

Ja, mehr Wunder hat Granada,
Als umschließet rothe Körner
Ihrer Thäler schöne Frucht;
Granada die wohl genannte,
Wenn entfaltet ihre Banner,
Wallend, der entflammte Krieg,
Schrecklicher als die Granate
Vor der Bataillone Fronte
Bricht sie aus in wildem Zorn.

Denn schöner ist und größer nichts auf der Welt zu finden
Ob sich Vivataubin Vivaconlud verbinden
Durch ihre helle Trommel von Glöckchen rings umschwebt,
Ob auch mit Gluth sich krönend ringsum wie ein Kalife
Der blendende Generalife
Hoch durch die Nacht den hellen Giebel hebt.

Die Drommeten ihrer Thürme
Klingen summend wie die Bienen,
Deren Schwarm der Wind gejagt;
Stets bereit hat für die Feste
Alcacara seine Glocken,
Die da dröhnen ihm im Schooß,
Und erwecken die Dulcaynen
In den afrikan'schen Thürmen
Des sonoren Albaycin.

Die Nebenbuhlerinnen besinget stets Granada,
Es singet weicher noch die weiche Serenada,
Mit reicher'n Farben stets schmückt es jedwedes Haus;
Man sagt, daß unbeweglich der Wind nicht vorwärts schreitet
Wenn es am Sommerabend auf seinen Eb'nen breitet
Die Frauen und die Blumen aus.

Seine Ahne ist Arabien;
Afrika und Asien würden
Gern die Mauren ein zum Spiel
Für Granada, muthig setzen;
Doch Granada ist katholisch
Und es treibt mit ihnen Spott;
O, die schöne Stadt Granada
Wär' ein anderes Sevilla
Könnten zwei Sevilla's sein. —

XXXI.

Die Cyanen.

*Si es verdado no, yo no lo he hy de ver
Pero non lo quiero en olvido poner.
Joan Lorenzo Segora de Astorga.*

Indeß der Stern, den zu den Ähren,
Den blonden, mischt die Sommmerzeit,
Mit seinem blauen Schmelz die Furchen
Der gold'nen Saaten decket weit:
Eh' noch die Sichel auf den Fluren,
Verwüstet hat die Blumenwelt,
Geht hin, o geht, ihr jungen Mädchen!
Und pflückt Cyanen in dem Feld.

Unter den Städten Andalusiens
Giebt es wohl keine, in der That,
Die mehr als Pennafiel sich strecke
Auf grünem Rasen, gold'ner Saat,
Und die in den gekerbten Mauern
Mehr stolze Thurmeszinnen hält;
Geht hin, o geht ihr jungen Mädchen!
Und pflückt Cyanen in dem Feld.

Nicht giebt es eine Stadt der Christen,
Kein Kloster giebt es, Gott geweiht,
Im Land des Papstes wie des Königs,
Wohin, zur Sant=Ambrosiuszeit,
Mehr sonnverbrannte Pilger kommen
Aus allen Gegenden der Welt:
Geht hin, o geht ihr jungen Mädchen!
Und pflückt Cyanen in dem Feld.

Auch haben nirgends junge Frauen,
Wenn man des Abends tanzt den Reih'n,
Mehr Rosen auf der zarten Stirne,
Mehr Flammen in des Herzens Schrein,
Nie strahlten hinter den Mantillen
Mehr Blicke, lebhafter erhellt;
Geht hin, o geht ihr jungen Mädchen!
Und pflückt Cyanen in dem Feld.

Alice, Andalusiens Perle
War in Penafiel zu Haus,
Alice, die den Honig sammelnd
Als Blume wählt' die Biene aus.
Die Tage, ach! sind längst verschwunden,
Wo sie als Muster aufgestellt;
Geht hin, o geht ihr jungen Mädchen!
Und pflückt Cyanen in dem Feld.

Es kam in jene Stadt ein Fremder,
Der stolz und sehr hochfahrend war;
Stammt' er aus Murcia, Sevilla,
Wie oder aus Granada gar?
Kam er vom sandigen Gestade,
Wo Tunis sein Geschwader hält . . . ?
Geht hin, o geht ihr jungen Mädchen!
Und pflückt Cyanen in dem Feld.

Man wußt' es nicht. — Er liebt Alice,
Sie schenkt ihm wieder ihre Huld;
Das Thal, das sanfte, des Tarama
War Zeuge ihrer süßen Schuld.
Des Abends schweiften in den Büschen
Sie, bei dem Glanz der Sternenwelt . . . .
Geht hin, o geht ihr jungen Mädchen!
Und pflückt Cyanen in dem Feld.

Die Stadt lag finster in der Ferne,
Der Mond, den Liebenden geneigt —
Indeß er hinter jenen Zinnen
Und Thürmen langsam aufwärts steigt, —
Hat jene schlanken, schwarzen Spitzen
Mit seinem Silberglanz erhellt . . . .
Geht hin, o geht ihr jungen Mädchen!
Und pflückt Cyanen in dem Feld.

Doch eiferfüchtig auf Alice,
Vom Frembling träumend füßen Traum,
Tanzten die Andaluferinnen
Froh unter duft'gem Blüthenbaum;
Indeß, den rafchen Tanz belebend
Das Horn zur Cither fich gefellt . . . .
Geht hin, o geht ihr jungen Mädchen!
Und pflückt Cyanen in dem Feld.

Der Vogel fchlummert fanft im Moofe,
Da fchon der Geier ihn bedroht;
So fchlummerte in ihrer Liebe
Alice, frei von Angft und Noth.
Don Juan, König von Caftilien
So hieß der fchöngelockte Held . . . .
Geht hin, o geht ihr jungen Mädchen!
Und pflückt Cyanen in dem Feld.

Gefahr bringt's, einen Fürften lieben.
So ward fie eines Tags entführt
Zu Roß, und auf Befehl des Königs
Aus ihrem Lande fortgeführt.
Ein Klofter fie, feit jenen Stunden,
Gefangen in der Zelle hält . . . .
Geht hin, o geht ihr jungen Mädchen!
Und pflückt Cyanen in dem Feld,

———

·

XXXII.

Phantome.

Luenga es su noche, y cerrados
Estan sus ojos pesados.
Idos, idos en paz, vientos alados.
Lang ist ihre Nacht und geschlossen
Sind ihre schweren Augen.
Zieht, zieht in Frieden, geflügelte Winde.

1.

Ach wieviel sah ich schon der jungen Mädchen scheiden!
Das ist Bestimmung so.   Beute verlangt der Tod;
Denn fallen muß das Gras stets vor der Siecheln Schneiden;
Die auf dem Balle sich an frohen Tänzen weiden,
Zertreten Rosen, frisch und roth.

Im Laufe durch das Thal muß sich die Fluth verzehren,
Der Blitz muß leuchten raschem Tod geweiht,
Neidisch muß der April mit seinem Frost verheeren
Den schönen Apfelbaum, den seine Blüthen ehren:
Duftreicher Schnee der Frühlingszeit.

Das ist das Leben, ja! es folgt die Nacht dem Tage;
Man wacht zuletzt — ob göttlich oder verdammet — auf;
Denn eine gier'ge Menge weilt bei dem Festgelage,
Doch viele der Gelad'nen weichen von dem Gelage
Und stehen vor dem Schlusse auf.

2.

Wie viele sah ich sterben. — Die Eine rosigblühend,
Die Andre schien zu lauschen himmelentsproſſnem Klang;
Die Dritte stützte mit dem Arm die Stirn, sich mühend
Und wie den Zweig der Vogel im Fluge beugt, entfliehend,
Brach ihren Körper ihrer Seele Drang.

Die Eine bleich, verwirrt, dem Wahnsinn preisgegeben,
Sprach einen Namen leise, den Niemand kennt und ehrt;
Die Andere entschwand, wie Töne sanft verschweben;
Die Dritte lächelte bei'm Abschied von dem Leben,
Gleich einem Engel, der da wiederkehrt.

Sie alle zarte Blüthen; ihr Tod so nah dem Werde,
Eisvögel, die das Meer mit ihrem Nest verschlang;
Es waren Tauben, die der Himmel gab der Erde,
Geschmückt mit Liebe, Jugend, anmuthiger Geberde:
Ihr Dasein ach! nur einen Frühling lang.

Wie todt! Wie! Euch soll schon des Grabes Decke hüten!
Wie, soviel holde Wesen, die ohne Blick und Wort!
Soviel erlosch'ne Fackeln und abgeriſſne Blüthen!
O, laßt mich in den abgefall'nen Blättern wüthen!
Fort, zu des Waldes Gründen fort!

Süße Erscheinungen! Dort zu-des Haines Enge,
In meinen Träumen kommen und reden sie mit mir;
Ein zweifelhafter Tag zeigt mir und birgt die Menge;
Dort in den Zweigen und dem dichten Laubgedränge,
Da glänzen ihre Augen mir.

Da fühlet meine Seele verschwistert sich mit ihnen;
Das Leben wie der Tod vermag nichts über mich:
Bald nehm' ich ihre Flügel, bald helf' ich wieder ihnen,
O wunderbar Gesicht! wo ich mir todt erschienen
Und wo sie lebend sind, wie ich.

Sie sind die Form, die für mein Denken ich gefunden;
Ich sehe sie vor mir; sie rufen freundlich mich;
Dann tanzen sie den Reihn rings um ein Grab verbunden;
Dann scheiden langsam sie, allmählig nur entschwunden...
Ich sinne und erinn're mich. —

3.

Die junge Spanierin! vor Allen diese Eine!
Mit weißer Hand, den Busen unschuldig angeschwellt,
Das schwarze Auge mit dem feuchten dunkeln Scheine,
Der unbekannte Reiz, der frische Glanz, der reine,
Der eine fünfzehnjähr'ge Stirn erhellt!
XVI.   9

Aus Liebe starb sie nicht; nicht Kampf, noch Lust, noch Wagen,
Hatte für sie die Liebe, zu fern noch war sie hier;
Nichts machte noch bisher ihr Herz unruhig schlagen;
Wie schön sie ist! so mußte, wer sie erblickte, sagen;
Doch Jeder sagt' es laut zu ihr.

Zu sehr liebt' sie den Tanz; das endete ihr Leben —
Den Tanz mit seiner Lust und seinem Schein;
Es ist, als müßten noch der Todten Glieder beben,
Wenn in der heitern Nacht Wolken den Mond umgeben
Und um ihn schlingen ihren Reih'n.

Zu sehr liebt' sie den Tanz. Sobald ein Fest gekommen,
So träumte sie drei Nächte, dachte drei Tage d'ran;
Und Frauen, Musikanten und Tänzer alle kommen
Zu ihrem Schlaf und haben den Sinn ihr eingenommen,
Daß er sonst Nichts vernehmen kann.

Dann waren's Edelsteine, Halsbänder und Geschmeide,
Gürtel von dunkeln Taft mit wellengleichem Schein.
Wie Bienenflügel leicht, Gewänder feinster Seide,
· Guirlanden, Blumen, Bänder zu reicher Augenweide:
Es konnte herrlicher Nichts sein.

Sobald das Fest begann, kam sie herbeigeeilet,
Mit den Gespielinnen, die Fächer in der Hand,
Indeß sie mitten unter den seid'nen Schärpen weilet
Und sich zu Siegesklängen, vom Freudenrausch ereilet,
Ihr Herz mit der Musik verband.

Man sah mit Lust sie froh sich zu dem Tanze einen;
Mit seinen blauen Flittern bewegte sich ihr Kleid;
Da unter der Mantille die dunkeln Augen scheinen
Gleich Doppelsternen, die sich in der Nacht vereinen,
Um die sich düster eine Wolke reiht.

An ihr war Alles Tanz und Scherz und freies Walten.
Das Kind! — Wir sah'n ihr zu, des Wechsels wohl bewußt.
Denn auf dem Balle kann sich nicht das Herz entfalten,
Um seidene Gewänder muß dort die Asche schalten
Und finst'rer Überdruß um Spiel und Lust. —

Sie aber, von der Runde, dem Walzer fortgezogen,
Sie flog dahin und kehrte und ließ sich keine Ruh,
Berauscht vom Blumenduft und von der Töne Wogen,
Von heller Lichter Strahlen, die auf und nieder flogen,
Und vom Geräusch der Tritte, ab und zu.

O welches Glück! sich so der Menge hinzugeben,
Vom Ball erregt in wilder Gluth,
Nicht wissen ob wir in der dunkeln Wolke schweben,
Ob wir die Erde fliehen, ob wir uns kühn erheben,
Getragen von der raschen Fluth.

Doch ach, sie mußte, wenn das Morgenroth erglommen,
Scheiden, und an der Schwelle warten auf ihr Gewand;
Dann fühlte oftmals sie mit Schaudern und beklommen
Auf ihrer nackten Schulter, wie kühl der Wind gekommen,
Den plötzlich fröstelnd sie empfand.

9*

O nach dem frohen Ball, wie viele trübe Stunden!
Fort Schmuck und Tanz, fort Lachen und heiteres Geschick!
Da sich hartnäckig nun der Husten eingefunden,
Da nach der Lust das Fieber mit Schauern sie umwunden,
Da hellem Blicke folgt erlosch'ner Blick.

4.

Sie starb! — Mit fünfzehn Jahren, schön, und beglückt
im Herzen,
Starb, als vom Ball sie schied, der uns mit Gram erfüllt;
Der Tod nahm aus den Armen der Mutter, irr vor
Schmerzen,
Sie fort, die noch geputzt, die noch voll Lust und Scherzen,
Und hat in ew'ge Nacht sie eingehüllt.

Sie war noch ganz bereit so manchen Ball zu schmücken;
Doch unbarmherzig riß der Tod die Blüthe ab,
Und diese Eintagsrosen, die ihre Stirne schmücken,
Die bei dem Feste erst erblühten, nach dem Pflücken,
Die Knospen welkten nun im Grab.

5.

Die arme Mutter! Ach! die nicht solch Ende dachte,
Und so viel Liebe auf dieß zarte Rohr gewandt,
Die ihre Kindheit so sorgfältig einst bewachte,
So manche trübe Nacht bei ihr mit Schmerz verbrachte
Und sie gewiegt mit eigner Hand!

Wozu! Sie ruht im Grab, das kühler Rasen decket,
Des Wurmes Beute, nur von ihm im Sarg bewacht;
Und wenn ein Fest der Todten sie aus dem Schlummer
                                            wecket,
Der bleiern, starr und kalt sich über sie gestrecket
In einer schönen Winternacht:

So wird ihr ein Gespenst mit schauderhaftem Lachen
Beistehn, statt ihrer Mutter und rufen: Nun ist's Zeit!
Wird mit den Knochenfingern ihr ihren Haarschmuck
                                            machen,
Vom Kuß der blauen Lippen wird gräßlich sie erwachen,
Mit dem es sie zum Fest geweiht.

Es wird die Zitternde zum grausen Tanze leiten,
Im luft'gen Chor, im Reihen, gleich dem Traum. —
Am grauen Horizont ist bleich der Mond, es breiten
Die Strahlen sich des Mondscheinregenbogens, spreiten
Um dunkle Wolken ihren Silbersaum.

6.

Ihr Alle, die der Tanz einladet sich zu schmücken,
Gedenkt der Spanierin, die nimmer wiederkehrt!
Ihr jungen Mädchen. — Seht, sie eilte voll Entzücken,
Um sich des Lebens Rosen mit rascher Hand zu pflücken,
Die Schönheit, Liebe, Jugendlust bescheert.

Das arme Kind! Sie hat, von Fest zu Festen ziehend,
Mit diesen reichen Blüthen sich voller Lust geschmückt;
Ach, die Unglückliche, zu bald nur uns entfliehend,
Riß, gleich Opheline, die Fluth, sie mit sich ziehend,
Hinab, da sie am Ufer Blumen pflückt.

XXXIII.

Mazeppa.

An Louis Boulanger.

Away! Away!
Byron, Mazeppa.
Fort! fort!

1.

So, als Mazeppa, der in Wuth ausbricht und Thränen
Sah seine Arme, Füße, die schwerdtgestreiften Seiten
Gebunden, jedes Glied,
Auf einem wilden Roß, genährt von Meeres Kräutern,
Das raucht und Feuer sprüht aus seinen weiten Nüstern,
Wie aus den Hufen, wenn es flieht.

Als er in seinen Banden sich wie ein Wurm gewunden,
Und hoch erfreuet hat mit dem unnützen Wüthen
Der Henker freche Schaar,
Zurück nun endlich fällt ermüdet auf die Kruppe,
Schweiß auf der Stirne, Schaum vor seinen wunden Lippen
Und Blut im Blick, der sonst so klar.

Da tönt ein Schrei urplötzlich durch die Ebne
Fliegen so Mann wie Roß auf leicht bewegtem Sande

Hin, fortgerissen, odemlos;
Allein, Staubwirbel wild mit ihrem Lärm erfüllend,
Der schwarzen Wolke ähnlich, in der sich Blitze schlängeln,
Gehoben von der Winde Stoß.

Fort geht's, dem Ungewitter gleich ziehn sie durch die
Thäler,
Wie die Orkane, die sich in den Bergen häufen,
Gleich dem entflammten Meteor;
Schon sind sie nichts mehr als ein schwarzer Punkt im Nebel,
Verwischt schon in der Luft gleich einem Flocken Schaumes,
Gehoben von dem Meer empor.

Fort geht's. — Der Raum ist groß. In jener weiten Wüste
Endlosen Horizont, der immer neu beginnet
Tauchen sie, wie in tiefes Meer,
Flug ähnlich reißt ihr Lauf sie fort und große Eichen,
Und Städte, Thürme wie der Berge dunkle Ketten,
Es wanket Alles rings umher.

Wenn der Unglückliche, deß Haupt nah dem Zerschmettern,
Sich wehrt, so stürzt das Roß das vor dem Winde eilet,
Mit Sprüngen, die noch mehr erschreckt,
Sich in die weite, dürre undurchschreitbare Wüste,
Die mit den sand'gen Falten wie ein gestreifter Mantel,
Vor ihnen aus sich streckt.

Es malt sich Alles schwankend mit unbekannten Farben;
Er sieht die Wälder und die breiten Wolken laufen,
So wie den längst verfall'nen Thurm,
Die Berge, wo ein Strahl die Zwischenräume badet;
Er sieht's, es folgen Heerden von Stuten heiß und
dampfend
Ihm, wie im wilden Sturm!

Den Himmel, wo die Schritte des Abends sich verlängern
Mit seinem Wolkenmeer in das von Neuem Wolken
Sich stürzen wiederum,
Und dessen Sonne, die die Wogen rasch durchschneidet,
Dreht sich auf seiner Stirn, wie sich ein Rad von Marmor
Mit goldnen Adern drehet um.

Sein Auge blicket irr' und glänzet, seine Haare
Schleppen, es hängt sein Haupt, es färbt sein Blut die Wüste
Wie es den knot'gen Dornbusch näßt,
Die Stricke schlingen sich um die geschwoll'nen Glieder
Und wieder fester sich, wie eine lange Schlange
Im Bisse schlingt die Knoten fest.

Das Roß, das Sattel nicht und nicht Gebiß verspüret,
Flieht immer, immer fließt sein Blut hinab und rieselt,
In Fetzen fällt sein Fleisch schon, ach!
Den heißen Stuten, die mit langen Mähnen folgten,
Die wild und schnaubend sich an seine Schritte schlossen,
Folgen nun schon die Raben nach.

Die Raben und der Habicht mit seinen runden Augen,
Der Adler von den Schlachten, Fischadler, Ungeheuer,
Dem hellen Tage unbekannt,
Schielende Eulen, und der große falbe Geier,
Der seinen nackten Hals so roth steckt in die Leichen
Wie eine nackte Hand.

Sie Alle breiten aus den finstern Schwarm, verlassen,
Um ihm zu folgen, den Steineichenbaum, die Nester
In dem verfall'nen Haus;
Er, blutend und verloren, taub ihrem freud'gen Schreien
Fragt, als er dort sie sieht, wer denn da oben breite
Den großen, schwarzen Fächer aus.

Es senkt die Nacht sich finster herab und ohne Sterne,
Wie eine Koppel, die beflügelt, folgt dem Ärmsten
Heißhungrig nach der Jug;
Staubwirbeln gleich sieht er sie über ihm sich heben,
Als deckten sie den Himmel, verliert sie, hört dann wieder
Im Schatten den verwirrten Flug.

Nach dreien Tagen endlich des wilden, tollen Laufes,
Nachdem sie über Flüsse mit Eis bedecket setzten,
Durch Steppen, Wüsten, Wald,
Stürzt hin das Roß bei'm Schrei der raubbegier'gen Vögel,
Sein Eisenhuf zermalmt den festen Stein, es sterben
Die Kräfte, wie der Sturz verhallt..

Da liegt der Ärmste nun elend und nackt im Staube,
Mit Blut befleckt und röther als man zur Zeit der Blüthen,
Den Ahorn jemals fand;
Die Wolke Vögel wendet sich über seinem Haupte,
Und mancher Schnabel strebt zu hacken seine Augen,
Von Thränen ausgebrannt.

Nun wohl. Seht der Verdammte der heulet und sich windet,
Der einem Leichnam gleicht, — die Stämme der Ukraine
Sie machen einst zum Fürsten ihn,
Und eines Tags die Felder mit Leichen übersäend
Wird den Fischadlern er und Geiern ihre Beute,
Wie zur Entschädigung, nicht entziehn.

Aus seinen Qualen wird sich seine Größe heben,
Einst wird sich mit dem Pelz der Atamans er gürten,
Und groß dem Blick vorüber ziehn;
Der Zelte Völker werden sich vor ihm niederwerfen,
Sie huldigen im Staube demüthig und begrüßen
Dann mit Fanfarenklängen ihn.

2.

So, wenn ein Sterblicher, auf dem sein Gott sich breitet,
Sich lebend binden sah auf deine dunkle Kruppe
Genie, du wildes Roß!
Ringt er vergebens, ach! du reißest ihn von dannen
Fort aus der Wirklichkeit, zersprengend mit den Hufen
Jedwedes feste Schloß.

Du sprengst mit ihm durch Wüsten, wie über rauhe Gipfel
Der Berge, über Meere und durch die dichten Wolken
Der finstern Region,
Tausend unreine Geister, die du hast aufgestöret,
Rings um den Reisenden, ein unverschämtes Wunder
Drängen sie ihre Legion.

Auf deinen Flammenschwingen durcheilet er im Fluge,
Das Feld des Möglichen, so wie der Seele Welten,
Und schöpft aus ew'ger Fluth;
In sturmerregter Nacht so wie in Sternennächten
Flammt an des Himmels Stirn mit der Kometen Schweife
Sein Haar in heller Gluth.

Herrschels sechs Monde und den Ring Saturns, des Alten,
Der Pol, der einen Nordschein auf hoher Stirne bildet
Und sich in dessen Glanze sonnt,
Das Alles schauet er; dein Flug, den Nichts ermüdet,
Versetzet stets von diesen ganz unbegrenzten Welten
Den idealen Horizont.

Wer kann es wissen außer den Engeln und Dämonen,
Was er erduldet dir zu folgen, welche Blitze
Durchzucken sein erregtes Hirn;
Wie er von heißen Funken oft wird versenget werden,
Ach! und wie in der Nacht so viele kalte Flügel
Schlagen an seine Stirn.

Er schreit entsetzt, doch du sprengst unaufhörlich weiter,
Bleich und erschöpft und keuchend; doch von dir fortgerissen
Sinkt er zusammen bei dem Lauf;
Denn jeder deiner Schritte scheint ihm sein Grab zu höhlen
— Da ist das Ziel erreicht ... er eilet, fliegt, er stürzet
Und steht als König wieder auf.

XXXIV.

Der zürnende Donaufluß.

Belgrad und Semlin sind im Kriege.
In dem Bett, das sonst so friedlich,
Wird der alte Donaufluß
Von dem Donner des Geschützes
Jetzt urplötzlich aufgeweckt.
Zitternd wähnt er, daß ihm träume;
Doch er hört der Schlacht — Getöse,
Schlägt in seine Schuppenhände
Und ruft sie bei Namen laut:

„Semlin, Belgrad! Türkin, Christin!
Saget mir, was habt ihr nur?
Kann man, Gott soll mich erhalten!
Denn nicht ein Jahrhundert schlafen,
Ohne daß euch eifersüchtig,
Belgrad oder Semlin weckt!

„Winter, Sommer, Herbst und Frühling,
Immer donnern eure Stücke;
Eingewiegt vom steten Rauschen
Schlummert' ich in meinem Schilf;

Doch so wie Seeungeheuer
Wasser aus den Nüstern schleudern,
Blasen eure Feuerschlangen
Flammen hin auf meine Fluth.

„Müß'ge Zauberschwestern bauten
Eines Tages, um zu spotten,
Euch einander gegenüber,
An den beiden Ufern hin,
Wie zwei Gäste einer Schüssel,
Wie hoch auf derselben Zinne,
Adlers Horst und Geiers Nest.

„Könnt ihr nicht verträglich leben,
Meine Töchter! muß ich zittern
Wegen des Geschicks, das euch
Nur vereint, um euch zu hassen,
Da ihr, als friedfert'ge Schwestern,
Spiegeln könntet in den Wellen.
Semlin, deine schwarzen Thürme,
Belgrad, deine Minarets!

„Meine Fluth, die in das Weltmeer
Stürzet, trennet euch umsonst;
Von dem Schloß, das überraget,
Einet ihr euch und die Bombe
Ziehet einen Brückenbogen
Blitzend, luftig zwischen euch.

„Ruhe! Schweiget! Beide Städte!
Mich erzürnen Bürgerkriege.
Wir sind alt, d'rum laßt uns friedlich
Schlummern in der Birken Schatten.
Ruhe diesen innern Kämpfen!
Ohne eurer Festen Lärmen,
Hab' ich nicht genug, o Töchter!
An dem Brausen wilder Fluth.

„Diesen schönen Ort zur Hölle   .
Wandeln Kreuz und Halbmond um;
Für Koran und Evangelium
Tauscht behende Bomben ihr;
Das heißt Feu'r und Lärm verlieren,
Ich, der Gott einst war, ich weiß es.

„Mich vertrieben eure Götter,
Jagten mich aus ihrem Kreise.
Schatten ist's, den ich erwähle,
Wenn sie im Pallaste bleiben,
Nicht zu meinen Ufern kommen,
Meine Bäume zu entwurzeln,
Meine Muscheln zu zerschmettern,
Mit den Bomben und den Kugeln.

„Diese sind die Frucht von ihrem
Abscheuwürd'gem Gottesdienst;
Keinen Lärm kannt' meine Zeit,

Wenn der Stein der Katapulte
Tag und Nacht schlug an die Städte,
War es ohne Rauch und Lärm.

„Allm seht, eure Zwillingsschwester,
Haltet euch, wie sie, in Ruhe,
Wie die Fäden sich entwirren
Dreht die Spindel um und lacht.
Buda seht, die Nachbarin,
Dristra seht, die Sarazenin. —
O was sagte wohl der Aetna,
Macht' Messina solchen Lärm?

„Semlin zanket stets am meisten,
Sie fing stets das Unrecht an.
Glaubet ihr, daß meine Fluthen,
Dem uneb'nen Laufe folgend,
Zwischen ihren Ufern nichts
Hätten sonst zu thun, als eure
Todten zum Euxin zu tragen?

„Eure Mörser haben soviel
Rauch, daß jetzt in meiner Lieblings-
Grotte, wo Haubitzensplitter
Liegen, stetes Dunkel herrscht.
Tageshelle ist verschwunden;

XVI.   10

Und der Dunst aus ihren Schlünden
Hüllt mich ein in tiefe Schatten,
Wenn ich Abends auf dem Lager
Sterne suche durch die Fluth.

„Euch mit Wunden zu bedecken,
Hofft ihr davon großen Ruhm?
Die Palläste werden Trümmer.
Laßt in euren schwarzen Mauern
Mir den Krieg fortan verstummen,
Sonst verlösch' ich Eu'r Geschütz.

„Denn ich bin der ungeheure
Donaufluß. — Weh' euch, beginn' ich!
Nur aus Milde duld' ich euch!
Wenn ich wollte, würden meine
Wellen, die aus ihrem Kerker
Auf die Felder losgelassen,
Euch im Wirbel mit sich reißen,
Einer Kette gleich von Bergen
Sich am Horizont erheben."

Wahrlich, also kann man reden,
Giebt man Antwort dem Geschütz,
Netzet man der Kön'ge Pforte
Ist man Donaufluß und trägt
Ruhig wie der Hellespont
Schiffe mit dreifachem Deck.

Nagt man hundert feste Brücken,
Zieht durch die acht Baiernländer,
Nimmt in sich auf sechzig Flüsse
Und verschlingt sie auf der Flucht,
Geht man hohl so wie das Meer,
Breitet man sich aus wie Schlangen
Auf der Erde hin und fließt vom
Abendland zum Morgenland.

XXXV.

Träumerei.

Lo giorno se n'andava, e l'aer bruno
Toglieva gli animai che sono'n terra,
Delle fatiche loro.

Dante.

Der Tag schwand und die dunkle Luft
entlud die lebenden Wesen, die auf Erden
sind, ihrer Mühen.

Laßt mich! es ist die Stunde, wo rings der Dunstkreis
raucht
Und die ungleiche Stirn in Nebelkreise taucht,
Die Stunde, wo die Sonne roth wird und untergeht;
Der gelb geword'ne Forst vergoldet nun die Höhen,
In dieser Spätherbstzeit glaubt man den Wald zu sehen,
Wie er von Sonn' und Regen fast eingeroſtet ſteht.

O wer erbaut urplötzlich am Ende dieser Räume
Dort unten, während ich am Fenster steh' und träume,
Und sich der Schatten häuft im Grund des Corridor,
Dort eine Maurenstadt mit glänzend selt'nen Farben,
Die, wie sich die Raketen entfalten reich in Garben,
Mit gold'nen Thürmen aus dem Nebel dringt hervor?

O Genien, sie belebe und sie beseele wieder,
Die wie des Herbstes Himmel verdüstert, meine Lieder,
Daß sich mein Auge an dem Zauberglanze sonnt;
Und lange, sich in dumpfen, erstickten Lärm verlierend,
Die Feenpalläste mit den tausend Thürmen zierend,
Zerreiße sie im Nebel den blauen Horizont.

XXXVI.

Extase.

Und ich hörte eine starke Stimme.
Apokalypse.

In sternenheller Nacht stand ich allein am Meer,
Kein Wölkchen über mir, kein Segel zog daher,
Mein Blick drang weiter, als die Körperwelt;
Berg, Wald und Alles rings in der Natur,
Es war, als fragten sie im dumpfen Murmeln nur
Die Meeresfluth, das Himmelszelt.

Der gold'nen Sterne ungezählte Schaar
Sprach laut und leise, klingend, hell und klar,
Und senkt das Flammenhaupt demüthiger;
Die blaue Woge, die nichts lenkt noch stemmt,
Indem sie ihres Schaumes Perlen hemmt,
Sprach mit ihr: Es ist Gott, ist Gott der Herr!

XXXVII.

Der Dichter an den Kalifen.

> Alle die auf Erden wohnen sind vor ihm
> wie ein Nichts; er thut was ihm gefällt und
> Niemand kann seiner mächtigen Hand wider-
> stehn, noch ihm sagen: Warum hast du so
> gethan?
>
> Daniel.

O Sultan Noureddin, Kalif von Gott geliebt!
O du, dem er die Herrschaft des Reichs der Mitte giebt,
Vom gelben Flusse bis zum rothen Meere,
Es pflastern Könige von jeder Nation,
Mit ihrer Stirn im Staube den Weg zu deinem Thron
Zu deines Angesichtes Ehre!

Sehr groß ist dein Serail, schön sind die Gärten dein,
Und deiner Frauen Augen leuchten wie Fackelschein,
Die nur für dich durch ihre Schleier dringen.
Wenn, kaiserlicher Stern, den Völkern ohne Zahl
Von den dreihundert Söhnen umgeben glänzt dein Strahl,
Und Sterne im Gefolge dich umringen.

Dein grüner Turban ist geschmückt mit Edelstein,
Sehn kannst du wie im Bade scherzen voll Lust; allein,

Wenn du dein Fenster aufgeschlagen,
Die Frauen aus Madras so lieblich anzuschau'n,
Die Mädchen aus Aleppo, die auf dem Hals, so braun,
Die weißen Perlenschnüre tragen.

Es scheint als würd' dein Säbel dir größer in der Hand,
Am hellen Glanz wird er in jeder Schlacht erkannt,
Kein Turban macht ihn je zerspringen,
Selbst da nicht, wo der Kampf am heißesten entbrennt,
Wo jeder Elephant wild auf den Andern rennt
Und sie die Rosse in den Rüsseln bringen.

Versteckt ist eine Fee in dem, was du geschaut,
Und wenn du sprichst, Kalif! so glaubt man: dieser Laut
Müßte aus and'rer Welt hernieder schweben;
Gott selbst bewundert dich und füllt mit Seligkeit
Den gold'nen Becher an, der für dich ist geweiht,
Den deine Tage sich einander geben.

Doch oft in deinem Herzen, Noureddin, heller Strahl!
Steigt ein Gedanke auf und läßt mit einem Mal
Erstarrend deine Größe schweigen;
So sehn zu Zeiten wir bei heißem Sonnenschein
Den Mond, der Todten Stern, am Himmel bleich und rein,
Halb seine kalte Stirn uns zeigen.

———

XXXVIII.

Bonnaberdi.

Grand comme le monde.

Der Sultan Frankistans, der nach den Pyramiden
Kam, Bonnaberdi, den der gift'ge Wind aus Süden
Einhüllt, wie ein Gewand, steigt oft auf eine Höh',
Von deren rief'ger Stirn' er, selbst ein Riese, schauen
Tief in den Abgrund kann; zu seinen Füßen grauen
Zwei halbe Welten, dort der Sand und hier die See.

Er steht allein. Tief liegt die Wüste, die ihn feiert,
Zu seiner Rechten, dicht von Staubgewölk verschleiert,
Das wie ein dunkles Tuch sie ihm entgegen hält.
Zu seiner Linken schäumt das Meer und schlägt mit Grimme
Den Strand; zu ihm empor erhebt es seine Stimme
Laut, wie ein Hund, vor dem Gebieter bellt.

Und Er, den dieß Gewölk, das neidisch ihm verstecken
Die Wüste will, und dieß gewalt'ge Brausen wecken,
Glaubt, wie man Einen der Geliebten denken sieht,
Daß ein unsichtbar Heer, zahllos, wie Sand am Meere,
Den Staub und das Gebraus hervorbringt ihm zur Ehre,
Und ewig unter ihm die Wüstenei durchzieht.

Gebet.

O, wenn du wieder kommst, auf dem Gebirg zu träumen,
Dann, Bounaberdi, sieh' bei diesen Palmenbäumen
Auch mein Gezelt, vor dem die Dromedare knieen!
Denn ich bin arm und frei, ein Scheik der Beduinen,
Und sag' ich Allah! so durchfliegt mein Pferd die Dünen,
Im Kopf zwei Kohlen, die durch's Haar der Wimpern
glüh'n
                                                F. F.

———————

XXXIX.

Er.

Damals war ich ein Riese und hundert Ellen hoch.
Buonaparte.

1.

Stets Er! Er überall! Erstarret, wie in Gluthen,
Bewegt sein Bild, Gedanken in mir die mich durchfluthen,
Den schöpferischen Odem gießt er in meinen Geist;
Aus meinem Munde strömen die Worte, ich muß beben,
Sobald sein Riesenname von Glorien umgeben
In voller Größe sich in meinen Versen weist.

Dort seh ich ihn wie er scharf die Haubitze richtet,
Dort, wo für Königsmörder er wild das Volk vernichtet.
Dort, wie er den Tribunen nimmt als Soldat ihr Reich,
Dort, Consul, jung und stolz, in schönem Traum sich wiegen
Von künft'gem Herrscherthum und wunderbaren Siegen,
Unter dem langen, schwarzen Haar so bleich.

Dann mächt'ger Kaiser, der das Haupt zur Erde senket,
Der von des Hügels Höhe die Schlachtenordnung lenket,
Und einen Stern den Kriegern, den freudigen verspricht;
Ich seh' ihn dem Geschütz den Donner anbefehlen,
Mit seiner Seele waffnend sechshunderttausend Seelen,
Und wie aus seinen Augen ein Strahl des Blitzes bricht.

Dann als Gefang'nen, arm, verspottet und gepeinigt,
Der über seiner Brust die Arme still vereinigt,
Indeß es drinnen gährt; wo sich der Felsen thürmt
An dem die Ungewitter tobend vorüber streifen,
Läßt er sein Denken mit gebeugter Stirne schweifen,
In der es unablässig stürmt.

Wie ist er da so groß, wo seine Kraft gebunden,
Wo Englands Kerkerknechte durch Hohn ihn frech verwunden,
Wo in des Unglücks Weihe er seine Rechte stählt;
Wo seines Fußes Tritt zwei Welten angestrenget,
Belauschen, im Exil er hinstirbt, eingezwänget,
Da ihm die frische Luft in seinem Käfig fehlt.

Wie ist er da so groß als nah d'ran Gott zu sehen,
Im Blick dem brechenden ihm heil'ge Thränen stehen,
Und er sein trauernd Heer zu seinem Tode ruft,
Sich bei den Kriegern, daß er einsam stirbt, beklagend
Und seinen Schlachtenmantel als Leilach um sich schlagend,
Vom Feldbett steiget in die Gruft.

2.

Zu Rom, wo das Conclave einst den Senat beerbte,
Wo Eis der Berge Gipfel und wo sie Lava färbte,
Dort im Alhambra, wie im Kreml der drohend brennt,
Dort ist er überall. Ich find' am Niel ihn wieder,
Von seiner Morgenröthe erglänzt Aegypten wieder,
Sein kaiserlicher Stern geht auf im Orient.

Sieger, begeistert und mit Blendwerk sich umhüllend,
Ein Wunder selbst die Welt mit Wundern rings erfüllend,
Verehrten alte Scheiks den Emir jung und fein,
Da sich das Volk zur Flucht vor seinen Waffen wendet,
Erhaben schien er so den Stämmen, die verblendet,
Ein Mahomet des Occidents zu sein.

Ihr Feenwesen macht' ihn schon zum Eigenthume,
Das Feld des Arabers ist voll von seinem Ruhme,
Es war der Beduine, der freie sein Genoß;
Die kleinen Kinder richten sich streng nach unsrer Sitte,
Nach der Franzosen Trommel die ungelenken Schritte;
Bei seines Namens Klange wiehert das wilde Roß.

Zuweilen kommt er auf eumidischem Orkane,
Die große Pyramide erwählend zum Altane,
Und überschaut die Wüste mit ihrem gelben Sand;
Vierzig Jahrhunderte, die sich in Schlummer gatten,
Hat dann aus ihrer Gruft, der tönenden, sein Schatten
Mit lautem Ruf herauf gebannt.

Er spricht: Empor! Alsbald muß Jedes sich erheben,
Ob in die Hand ein Scepter, ob ihm ein Schwert gegeben,
Satrapen, Pharaonen, Magen, Volk aller Zeit,
Stumm, staubig, unbeweglich, er scheinet sie zu zählen;
Sie aber beugen sich gehorsam den Befehlen,
Die er jetzt giebt aus der Vergangenheit.

So wird zum Denkmal Alles, wo dieser Mann im Lande,
Der Unauslöschliche; er wandelt auf dem Sande:
Was macht es, daß Assur von seiner Fluth bedeckt,
Daß stets des Nordwind Brausen ermüde seine Fluren,
Sein kollossaler Fuß läßt ewig dort die Spuren,
Wenn er ihn auf die Wüste streckt.

3.

Geschichte, Poesie, er steht auf eueren Zinnen,
In diesen hohen Welten nichts Großes zu beginnen
Vermag ich, ohne daß sein Name wird genannt;
Napoleon! ich bin dein Memnon, Sonne! Immer
Wenn du erscheinst, im Tadel wie in des Lobes Schimmer,
Drängt sich auf meinem Munde der Lobgesang entbrannt,

Du — Engel oder Teufel — beherrschest uns're Zeiten,
Dein Adler trägt im Flug uns keuchend in die Weiten,
Dem Blick selbst, der dich flieht, bist überall du nah.
Stets wirfst du deinen Schatten auf uns'rer Bilder Helle,
Glänzend und finster steht auf des Jahrhunderts Schwelle
Napoleon stets aufrecht da.

So, wenn der Fremde des Vesuvs Gebiet durchspähet,
Wenn von Neapel hin nach Portici er gehet,
Wenn träumerisch er mit unstetem Schritte stört
Dort Ischia, das die Woge mit seinen Düften füllet,
Die Woge deren Rauschen, in Düfte eingehüllet,
Gleich der Sultanin Liebeslied man hört. —

Ob er zu Paestum schaut die hohe Colonnade,
Ob zu Puzzuoli lauscht der lust'gen Serenade,
Die bei dem Tuscer-Wall die Tarantella sang;
Ob im Vorübergehn Pompeji er erwecket,
Die Mumienstadt, die wie ein Leichnam dort sich strecket,
Den einstmals der Vulcan verschlang;

Ob zu dem Pausilipp er mit der Barke dringet,
Da wo der braune Schiffer Tasso Virgilen singet;
Stets, wo der Baum sich auf dem grünen Rasen sonnt,
Stets mitten auf dem Meer, wie an der Wiesen Rande,
Vom hohen Cap, wie von dem blühn'den Inselstrande
Sieht er den Riesen rauchend am Horizont.

XL.

November.

*Ich sagte zu ihm: die Rose des Gartens
hat, wie du weißt, kurze Dauer, und die Rosen-
zeit ist sehr bald verstrichen.*

Sobald der Herbst die Tage verkürzt, die er verschlinget,
Den Abend und den Morgen um ihre Gluthen bringet,
Wenn des Novembers Nebel am blauen Himmel weilt,
Wenn es im Walde braust, wie Schnee die Blätter fallen,
Dann ziehst du Muse dich zurück in mir, vor Allen,
Wie ein erstarrtes Kind, das zu dem Feuer eilt.

Denn vor dem düstern Winter, der zu Paris nun summet,
Erlischt dein Sonnenschein des Orients, verstummet
Dein Traum von Asien, und du erblickest nur
Vor dir die Straße mit dem wohlbekannten Lärmen,
Und Nebelstreifen, die um deine Fenster schwärmen,
Und an den spitzen Dächern des Rauches schwarze Spur.

Dann scheiden dir in Menge Sultane und Sultanen,
Palmbäume, Pyramiden, Galeeren, Capitanen,
Der vielgefräß'ge Tiger, der Alles wild verschlingt,
Die Djinns mit tollem Flug, Tänze der Bajaderen,
Die Araber, die mit den Dromedaren kehren
Und die Giraffe, die im Lauf so ungleich springt;

Die weißen Elephanten, die braune Frauen tragen,
Städte mit hohen Kuppeln, wo gold'ne Monde ragen,
Magier, Baals Priester, Imans des Mahomed,
Das Alles flieht, verschwindet; kein Harem mehr im
Blühen
Und kein Gomorrha mehr, das hellen Scheines Glühen
Auf's dunkle Babel wirft, kein maurisch Minaret. —

Das ist Paris, der Winter. — Deinen verwirrten Liedern
Verweigert Alles sich, es wird sie Nichts erwiedern;
Paris, das weite, ist dem Klephten viel zu klein;
Es würde dort der Nil die Ufer übersteigen,
Bengalens Rosen fröre, wo selbst die Grillen schweigen;
In diesem Nebel würden erstarrt die Peri's sein.

Dann, unbefang'ne Muse, den Orient beklagend,
Kommst du zu mir, fast nackt, die Augen niederschlagend.
„ — Hast du nicht, sagst du mir, im Herzen, das noch glüht,
Etwas zu singen, Freund! es langweilt mich vor Allen,
Seh' ich von deinem Fenster den dichten Regen fallen,
Da mich vor Kurzem noch der Sonne Glanz durchglüht.“

Dann nimmst du meine Hände mit deinen beiden Händen,
Wir setzen, wo sich nicht Profane zu uns wenden,
Uns hin, die süßeste Erinn'rung biet' ich dir,
Von meiner Jugend, von den Spielen der Genossen,
Der Jungfrau Reden, die so oftmals mich verdrossen,
Jetzt eines Andern Weib, beglückte Mutter hier.

XVI.   11

Sieh, dann erzähl' ich auch, wie in den Klostergängen
Die Glocken mich erfreuten mit ihren Silberklängen,
Wie meine Freiheit wild und jugendlich erwacht,
Und daß ich zehn Jahr alt, wenn still der Abend graute,
Mit ernstem Suchen nach des Mondes Augen schaute,
Wie sich die Blume öffnet in lauer Sommernacht.

Dann siehst du mit dem Fuß mich auch die Schaukel
schwingen,
Von der die Stricke knarrend am alten Baume hingen,
Fort! daß es unf'rer Mutter stets große Angst gemacht;
Dann nenn' ich dir darauf der span'schen Freunde Namen,
Madrid, wo ärgerlich wir in die Schule kamen,
Und für den großen Kaiser der Kinder Kampf und Schlacht;

Den guten Vater noch, und manche Jungfrau, scheidend
Mit fünfzehn Jahren, Blumen, den frühen Tod erleidend;
Allein die erste Liebe ist dir vor Allem werth,
Der frische Schmetterling, deß Flügel, kaum berühret,
Den Glanz verliert, der fliehend ein neues Dasein führet,
Und der nur einen Tag in unsern Tagen währt.

———

Balladen.

Renouvelons aussi
Toute vielle pensée.

Joachim du Bellay.

11*

I.

Eine Fee.

Sei's Urgele, sei's Morgana,
Gern hab' ich's in stillem Traum,
Daß sich eine Fee, durchsichtig,
Gleich der Blume, die verwelket,
Niederbeugt auf meine Stirn.

Sie ist's, deren zarte Laute
Mir erzählt, in starkem Klang,
Eure Mährchen, Paladine!
Die unglaublich schienen, wäre
Nicht Eu'r Leben es noch mehr.

Sie ist's, die dem, was ich ehre,
Mich zu einen mir befiehlt;
Und die will, daß ich verbinden
Mit der Harfe des Trouvère
Einen Ritterhandschuh soll.

In der Wüste, die mich fordert,
Ist in Allem sie versteckt;
Und sie macht, für meine Seele,
Eine Flamme aus jedem Strahle,
Eine Stimme aus jedem Lärm.

Sie — die in bewegter Welle
Murmelnd aus dem Felsen kommt,
Und, gequält mir zu gefallen,
Hängt an schwarzen Glockenthurmes
Spitze auf den Silberschwan.

Wenn mein Heerd im Winter lodert
Kauert sie sich nieder d'rin,
Zeigt mir am gestirnten Himmel
Jenen Stern, der sterbend funkelt,
Wie ein Auge nach dem Schlaf.

Wenn ich uns're alten Wiegen
Suche in verfall'nem Bau,
So umringt sie mich mit Bildern,
Läßt die Luft durch Erker brausen,
Gleich dem Lärm des Stroms der Zeit.

Sie, die mir verwirrtes Jagen
Bringt, erwach' ich in der Nacht,
Sie erweckt bei Abendstille,
Um das Ohr mir einzuschläfern,
Waldhornklang im Waldesgrund.

Sei's Urgele, sei's Morgana,
Gern hab' ich's, in stillem Traum,
Daß sich eine Fee, durchsichtig,
Gleich der Blume, die verwelket,
Niederbeugt auf meine Stirn.

II.

Der Sylphe.

„Du, die in diesen Mauern, so ähnlich den Sylphiden,
Dieß helle Fenster zeigt meinen begier'gen Augen,
O Jungfrau öffne mir! Furcht quält mich, es ist Nacht,
Nacht, die die Luft erfüllt mit schrecklichen Gestalten,
Und den geschied'nen Seelen ein Kleid aus Dunst gebracht.

„Nicht bin ich Jungfrau, einer von jenen weisen Pilgern,
Die lange Kunde geben von langer Reisefahrt.
Von jenen Kämpfern keiner, die Schönheit liebt und
                                            fürchtet,
Und deren Horn, die Pagen so wie die Diener weckend,
Zum Dank für Gastfreiheit den Krieg hat aufgespart.

„Nicht schweren Stab hab' ich, noch eine starre Lanze;
Ich habe keinen Bart, nicht Haare schwarz und lang,
Nicht niedern Rosenkranz, kein Schwert, gewohnt der
                                            Siege;
Mein Hauch, vor dem ein Halm kaum nickend sich beweget,
Entlockt der Tapfern Horn kaum einen schwachen Klang.

„Noch wen'ger als ein Traum, ein Kind der Luft, ein
Sylphe
Bin ich, des Frühlings Sohn, des frischen Morgens Duft,
Des hellen Heerdes Gast in langen Winternächten;
Ich bin der Geist, den still das Licht dem Thau entführet,
Durchsichtiger Bewohner der unsichtbaren Luft.

„Ein glücklich Paar heut' Abend mit feierlicher Stimme
Sprach leise von der Liebe und ihrer Gluth und Macht;
Ich hörte Alles; denn ich weilte neben ihnen.
In einem Kusse fingen sie meines Flügels Spitze,
Und ehe meine Freiheit mir wurde, kam die Nacht.

„Es ist zu spät, in meine Rose nun zu kommen;
Geschlossen ist mein Haus. O Freifrau, nimm mich ein!
Den Sohn des Tags nimm auf, der sich zur Nacht
verirrte,
Gestatte, daß bis Morgen in deinem Bett ich ruhe,
Ich brauche wenig Platz und werde stille sein.

„Es folgten meine Brüder dem hingeschwund'nen Lichte,
Des Abends Thränen, die das Gras benetzt im Thal;
Die Lilien schlossen ihnen auf ihre Honigkelche . . . .
Wohin nur fliehn? Ich sehe nicht Blumen mehr im Felde,
Thautropfen nicht, und nirgends noch einen Himmels=
strahl.

„Fräulein erhöre mich, daß nicht das tiefe Dunkel
In seinen Schatten, wie in einem Netz, mich fängt,
Zwischen den weißen Geistern und schwarzen Nacht-
          gespenstern
Und den Dämonen, die die Hölle selbst nicht zählet,
Zwischen der Eulenschaar, die sich am Kirchhof drängt.

„Es ist die Stunde, wo die Todten klappernd tanzen,
Und unbeweglich sie der bleiche Mond bescheint;
Wo der Vampyr, entsetzlich! mit starkem Arm erhebend
Unnützen Stein, zur Gruft — furchtbarer Schrecken —
          schleppet
Den armen Todtengräber, der zitternd ängstlich weint.

Bald mißgestalte Zwerge, geschwärzt von Staub und Asche,
Steigen in Abgrundsschlucht die Gnomen feierlich;
Der tolle Irrwisch streift umher am Schilfgestade,
Der heiße Salamander eint sich zu der Undine,
Und auf dem Wasser kreuzen bläuliche Flammen sich.

„O — wenn, um sein langweilig Verstummen zu erheitern,
Ein Todter in die Gruft mich sperrte zum Gebein;
Wenn nun ein Zauberer, der meine Angst verspottet,
Mich bände in dem Thurm, wo Mitternacht erschallet,
Und ich im Flug der Glocke Gefährte müßte sein!

„Laß sich dein Fenster öffnen ... Ach, wenn du mir es
weigerst,
Muß ich ein altes Nest im Moos mir suchen; heiß
Mit den Eidechsen kämpfen, die in der Ruh' ich störte:
Öffne .... rein ist mein Auge und sanft sind meine
Worte,
Wie sie ein Liebender· dem Liebchen saget leis'.

„Und ich bin doch so schön. O säh'st du meine Flügel
Zittern im Tageslicht so durchsichtig und rein;
Ich habe der Lilien Weiße, zu der wir Abends fliehen.
Um· meines Odems Duft und meines Leibes Strahlen
Pflegen die Rosen stets in heft'gem Streit zu sein.

„Es soll dir meinen Ruhm ein süßer Traum verkünden;
Denn neben mir — wohl weiß es das holde Liebchen
mein —
Sind Schmetterlinge plump und Kolibris gar häßlich;
Wenn ich als Fürst gekleidet, in Himmelsblau und Perlen,
Ziehe in meine Blüthen, meine Palläste ein.

„Mich friert im dunkeln Schatten, ich weine ach vergebens;
O könnt' ich dir doch bieten, daß du mir machtest Platz,
Den Tropfen Thau, der mein, mitsammt den gold'nen
Kelchen.
Doch nein! Nichts hab' ich mehr, ich bin dem Tod verfallen;
Denn jede Sonne giebt und nimmt mir meinen Schatz.

„Was soll ich dir zum Tausch dafür im Schlafe bringen?
Den Schleier eines Engels, den Gürtel holder Feen?
Verschönen will die Nacht ich mit des Tages Zauber,
Es soll dein Schlaf, indeß dein Glück dabei nicht wechselt,
Vom Himmelstraum zu dem der Liebe übergehn.

„Umsonst bedeckt mein Odem die feuchte Fensterscheibe.
O Jungfrau, wähn'st du denn, daß in der tückischen Nacht
Des irren Sylphen Stimme verberge den Geliebten,
Der dich betrügt; o nein, ich bin so schwach und schüchtern,
Mein Schatte, hätt' ich einen, hätte mir Furcht gemacht." —

Er weinte — Plötzlich klang von dem bemoosten Thurme,
Gleich einem Geisterruf, ein Laut in dunkler Nacht.
Es war gewiß ein Geist und keine Menschenstimme;
Alsbald erschien die Dame auf gothischem Balcone. —
Man weiß es nicht, ob sie dem Sylphen aufgemacht.

———

III.

Die Großmutter.

To die — to sleep.
Shakspeare.
Sterben — schlafen.

„Schläfst du?... Erwache doch o Mutter unf'rer Mutter!
Dein Mund bewegt gewöhnlich sich in dem Schlummer auch.
Denn deinem Schlaf gleicht oft dein Beten, nach dem
Scheine;
Heut' Abend gleichst du dem Madonnenbild von Steine;
Dein Mund ist unbeweglich, stumm deines Odems Hauch.

„Was senkst noch tiefer als gewöhnlich du die Stirne?
Was thaten Böses wir, daß du uns nicht mehr gut;
Die Lampe, sieh! erlischt, das Feuer in der Halle;
Wenn du nicht redest, sterben gewißlich bald wir Alle,
Wir Beide und die Lampe, so wie des Heerdes Gluth.

„Bei der erlosch'nen Lampe wirst du dann todt uns finden.
Was aber wirst du sagen, wenn du vom Schlaf erwacht?
Wir werden kein Gehör auf deine Klagen geben,
Zu deiner Heil'gen flehend uns wieder zu beleben,
Drückst du vergeblich uns an dich, die ganze Nacht.

„O lege deine Hand in unf're warmen Hände;
O fing' uns doch ein Lied vom armen Troubadour;
Erzähl' uns von den Rittern, bedienet durch die Feen,
Die ihren Liebchen brachten statt Blumen Siegstrophäen
Und deren Schlachtenruf, ein Liebesname nur.

„Erzähl' uns, welches Zeichen gefährlich den Gespenstern,
Und welcher Eremit den Teufel fliegend fand;
Von dem Rubin, darin des Gnomenfürsten Krone,
Und was der Dämon mehr fürchtet, trotz seinem Hohne,
Die Pfalmen des Turpin, das Schlachtschwerdt des Roland.

„Wo nicht, zeig uns die Bibel mit ihren schönen Bildern,
Den gold'nen Himmel und die Heil'gen mit dem Schein,
Das Jesuskind, die Krippe, den Ochsen laß uns sehen,
Und laß uns auf den Seiten von dem etwas verstehen
Und lesen, das zu Gott von uns spricht, — dem Latein.

„Mutter. — Allmählig sich', verlöscht des Lichtes Schimmer.
Der luft'ge Schatten tanzt rund um den dunkeln Heerd;
Es werden Geister gar in unf're Hütte treten,
Erwach aus deinem Schlaf und unterbrich dein Beten!
Willst du uns denn erschrecken, die sonst der Furcht gewehrt?

„Wie kalt sind deine Arme! Gott! Öffne deine Augen,
Du sprachst von einer Welt uns sonst, vom ew'gen Licht,
Vom Himmel und vom Grab, vom kurzen Menschenleben
Und von dem Tod. — Du mußt, Großmutter, Antwort geben!
Was ist denn das, der Tod? — Ach, du antwortest nicht."

Noch lange klagten sie, allein, in ihrem Kummer;
Der neue Tag erweckte die Mutter nicht vom Schlummer;
Der Glocke dumpfe Klänge hin durch die Lüfte ziehn;
Es hat am Abend Jemand, dort im Vorübergehen,
Vor dem verwaisten Lager, dem heil'gen Buch, gesehen,
Die beiden kleinen Kinder noch betend auf den Knie'n.

IV.

An Trilby, den Hausgeist von Argyle. *)

A vous, ombre légère,
Qui d'aile passagère
Par le monde volez
Et d'un sifflant murmure
L'ombrageuse verdure
Doucement esbranlez.

J'offre ces violettes,
Ces lys et ces fleurettes
Et ces roses ici;
Ces vermeillettes roses
Tout fraichement escloses
Et ces oeillets aussi.

Vielle Chanson.

Dir, leichter Schatten, der du mit flüchtigem
Flügel durch die Welt eilst und mit pfeifendem
Murmeln das schattige Laub sanft erschütterst,
biete ich diese Veilchen, diese Lilien, diese Blümchen
und diese Rosen hier; diese rothen, ganz frisch
aufgeblühten Rosen und diese Nelken auch.

Du bist's Geist! Sprich was dich führet
Hieher? Auf des Abends Schein
Kamst du. — Es umweht dein Odem
Kosend mild die Wange mein.

*) Trilby ist der Held eines reizenden Mährchens, von
Chr. Nodier, das in Frankreich außerordentlichen Beifall
fand.   D. Ueb.

Du enthüllst dich meinen Blicken,
Überschüttest mich mit Funken,
Deiner Flügel Rauschen tönet
Wie Gesang, so hold und fein.

Deine Stimme, der sich Seufzer
Mischen, klinget wohl bekannt;
Sei willkommen, schöner Trilby
Der mich einsam hausend fand.
Denn es birgt mein gastlich Hüttchen
Kein demüthig Schiffermädchen
Dessen halb entblößtem Busen
Du dich küssend zugewandt.

Suchst den Kobold du im Heerde,
Der sich schlau davon gemacht;
Meine Fee und die Sylphide,
Die geschäftig mir gebracht,
Wenn sie leise mich besuchen,
Auf den reichen, bunten Flügeln,
Süßes denken an dem Tage,
Süße Träume in der Nacht.

Willst du nicht zu den Undinen
Die mit Tanz sich gürten fein;
Zu den Zwergen, deren Stimmchen
Reden nur zu mir allein?

Willst du meine Gnomen wecken,
Stäubchen in der Luft verfolgen;
Dich in meiner Hausgespenster
Leichentücher hüllen ein?

Ach entflieh! die theuern Gäste
Birgt nicht mehr mein kleines Haus,
Mit dem Banne trieb man grausam
Meine lieben Geister aus.
Die Undine ward ersticket
Und wie doppelte Trophäe,
Hat man meine Fee genagelt
Dicht bei meiner Fledermaus.

Meine Zwerge und Gespenster,
Wagen, in des Zornes Drang,
Nicht einander mehr zu rufen
Auf dem Thurm, bei Hörnerklang;
Ach! mein Zauberhof, in Ängsten,
Floh vor ihren schweren Waffen;
Man riß aus die gold'nen Flügel
Meinem Sylphen, weinend, bang.

Fürchte selber ihren Donner,
Ungleichartiges Gefecht,
Mehr als jene alte Stimme
Die den Dougal einst gerächt,

XVI.   12

Deſſen weltberühmte Hütte
Sieht in nebelvollen Nächten
Auf der ſchaumbenetzten Klippe,
Fingals Schatten ungeſchwächt.

Er, der dich aus deinen Bergen
Hat in unſer Land geführt,
Hatte gleich dir zur Genoſſin
Hoffnung, deren Wunſch uns rührt;
Lang' ſah ſeine trübe Jugend
Frankreich, ſeine Mutter fliehen
Im Exil, wo wie Homer's
Er ſein Lied nur mit ſich führt.

Trüb' und doch zugleich erhaben,
Wenn ſein Flug voll Anmuth zieht,
Liebt den Abgrund ſelbſt der Dichter,
Den der kühne Adler flieht;
Liebt den Duft verblüh'nder Blumen,
Gold der irrenden Kometen,
Und ſanft in der Luft, der Glocken
Dumpf verhallend Klagelied.

So liebt er die wilde Wüſte
Wo den Schritt nichts hemmen kann;
Edel trotzt ſein Herz dem Tode
Um zu flieh'n der Knechtſchaft Bann.

Wenn ihn rufen Unterdrückte,
Wird er gleich der Völker Seele,
Für sie ist er eine Flamme,
Die nicht auslöscht der Tyrann.

So ist Nodier der Dichter. —
Sag dem Freund, so gut und wahr,
Daß ich lieberfüllt gezittert,
Für dich fürchtend die Gefahr.
Sag' ihm, daß er dich bewache;
Heitr' ihn auf mit deinen Spielen
Kind, und wenn er schläft, so schlumm're
Du auf seinem Lockenhaar.

Irre nicht so in die Weite,
Denn den Trilby's zürnt man sehr;
Fürchte dich vor Qual und Folter
Die mein Sylphe litt so schwer;
Fingen dich sie, welcher Jubel!
Sie besudelten mit schwarzer
Dinte deinen schillerfarb'gen
Mantel sicherlich nunmehr.

Oder mit dem Faun zu tanzen
Wär' ein Unglück, dir droht,
Und es brächten dich die Satyre
Und Sylvane in die Noth.

— 180 —

Zwängen dich die Hand zu legen
In die alten, hagern Hände
Der verblüheten Najaden
Die zweitausend Jahr schon todt.

———————

V.

Der Riese.

Die Wolken des Himmels selbst
fürchten, daß ich meine Feinde in
ihrem Schooß auffuche.
Motenebbi.

Krieger! Ich bin im Lande der Gallier geboren.
Wie durch den Bach, so schritten die Ahnen durch den
Rhein;
Die Mutter badete mich in dem Schnee, dem hellen,
Als Kind; der Vater schmückte mir mit drei Bärenfellen,
Er, der breitschult'rige, die Wiege zart und klein.

Denn es war stark mein Vater. Jetzt fesselt ihn das Alter.
Von der gefurchten Stirn fällt weiß sein Haar herab.
Schwach ist er und bejahrt, er naht sich seinem Ende,
Die Eiche auszureißen vermögen kaum die Hände,
Die seinen Schritten dienen soll als Stab.

Ich trete für ihn ein; sein Wurfspieß, seine Stiere
Hab' ich, die Art, den Bogen und seinen Halsschmuck auch;
Ich, der ich kann, — ich, der da soll den Greis erfetzen —
Die Füße tief im Thal mich auf den Hügel fetzen,
Und fern die Pappeln beugen mit meines Odems Hauch

Erwachsen war ich kaum, als auf den wilden Alpen,
Von Fels zu Felsen hin, ich neue Wege fand;
Vor meinem Haupt, wie vor dem Berg die Wolken stehen
Sah ich, die Adler konnt' ich in ihrem Flug erspähen
Am Himmel hoch und greifen mit der Hand.

Ich kämpfte mit Gewittern, mein Odem löschte rauschend
Die falben Blitze aus auf ihrer wilden Bahn;
Freudig, rasch vor mir her den Wallfisch lustig treibend,
Öffnete sich das Meer vor mir, in Schaum zerstäubend,
Und besser als der Sturm wühlt' ich im Ocean.

Ich irrte und verfolgte, zu sicher meiner Beute,
Den Habicht in der Luft, in tiefer Fluth den Hai;
Der Bär, von mir erwürgt, starb ohne alle Wunde;
Und oft, die Hand im Rachen, in dunkler Winterstunde,
Brach ich dem Luchse sein Gebiß entzwei.

Die Kinderspiele sind mir nun entblößt vom Reize;
Dafür lieb' ich den Krieg und seine Rüstung jetzt,
Den Flug, mit dem die Frauen und Greise ihn belegen,
Das Lager und den Krieger, der kühn auf seinen Wegen
Mir mein Erwachen mit dem Schlachtgeschrei ergötzt.

Im Staube und im Blut, wenn heißes Handgemenge,
In dichte Wirbel hüllt das Heer gar fürchterlich,
Erheb' ich mich und folge des heißen Kampfes Gluthen,
Wie der Seerabe sich stürzt auf die trüben Fluthen,
So stürz' ich auf die Reihen mich.

So wie ein Schnitter unter den gelben, reifen Garben,
In der Erschlag'nen Reihen steh' aufrecht ich allein,
Murmelnd verlieret sich ihr Schrei'n vor meiner Stimme;
Mit bloßer Faust zerhämmer' ich Rüstungen im Grimme,
Besser als eine Eiche gerissen aus dem Hain.

Ich gehe immer nackt. Mein Muth, dem Alles weichet,
Lacht eurer Eisenkrieger in euerm Schlachtenfeld;
Nur nach der Eschenlanze will im Gefecht ich greifen
Und nach dem leichten Helm, den ohne Mühe schleifen
Zehn Stiere, die das Joch gesellt.

Nutzlos will ich die Festen mit Leitern nicht erstürmen,
Der Brückenketten Ringe reiß ich wie spielend ab;
Weit besser als ein Widder kann ich die Mauern stürmen,
Und fest, Leib gegen Leib, ring' ich mit ihren Thürmen
Und in die Gräben werf' ich die Zinnen rasch hinab.

O, wenn ich meinen Opfern muß einst, ihr Krieger!
folgen,
So laßt nicht mein Gebein dem Raben auf dem Feld;
Begrabt mich in den Bergen, die hoch gen Himmel ragen,
Daß, sieht er ihre Zinnen, der Fremdling möge fragen,
Welches Gebirg mein Grab enthält.

VI.

Die Braut des Heerpaukers.

„Der Herr Herzog der Bretagne
Rief zum mörderischen Kampf,
So von Nante bis Mortagne,
'Auf dem Berg wie in der Eb'ne
Seiner Krieger Heeresbann.

Freiherrn sind es, deren Wappen
Grabensich're Festen schmückt,
Die im Schlachtenlärm ergrauten
Knappen, Lanzenknechte; Einer
D'runter ist mein Bräutigam.

Pauker, zog nach Aquitanien
Er, und dennoch wähnt man ihn
Einen Hauptmann, wenn sein edles,
Stolzes Wesen man erblicket
Und sein goldgeschmücktes Wamms.

Seit dem Tage quält mich Bangen;
Als mein Loos ich seinem fügt'
Sprach ich: Heilige Brigitte,
Daß er niemals ihn verlasse,
Gieb auf seinen Engel acht!

Zu dem Abt sprach ich: Messire,
Betet für die Krieger fromm. —
Da ich weiß, daß er es wünschet,
Hab' ich gleich drei-schwere Kerzen
Dem Sanct Gildas dargebracht.

Unsern Frauen von Loretto
Hab' im Grame ich gelobt,
Auf dem Brustlatz zu befest'gen,
Unverschämtem Blick verschlossen,
Eines Pilgers Muschelschmuck.

Nicht durch theure Liebespfänder
Konnt' er Tröstung senden mir;
Denn es hat, um Gruß zu bringen,
Die Vasallin keinen Pagen,
Keinen Knappen der Vasall.

Heute muß er aus dem Kriege
Kehren mit dem gnäd'gen Herrn,
Nicht mehr ein gemeiner Liebster.
Und die sonst gesenkte Stirne
Heb' ich jetzt; mein Stolz ist Glück.

Siegreich bringt zurück der Herzog
Jetzt sein Banner aus der Schlacht;
Kommet zu dem alten Thore.
Seht vorüberziehn des Fürsten
Schaar und meinen Bräutigam!

Sehet, wie zu diesem Feste
Prächtig ist geschmückt sein Roß,
Das einher zieht, das mit Federn
Reich gezierte Haupt bewegend,
Wiehernd unter seiner Last.

Schwestern, euch so langsam putzend,
Kommt und sehet in der Näh'
Meinen Sieger und die Pauken,
Zitternd unter seinen Händen,
Deren Klang das Herz erfreut.

Seht ihn selber in dem Mantel,
Den ich für ihn reich gestickt.
Herrlich wird er sein! Ihn lieb' ich!
Seinen Helm mit Pferdeschweife
Trägt er wie ein Diadem.

Das Zigeunerweib, das schlimme,
Zog mich hinter einen Pfeiler,
Sagte gestern mir (Gott schütz' uns!)
Daß ein Paukenschläger fehlen
Würde, bei der Festmusik.

Doch ich hab' so viel gebetet,
Daß ich hoffe, — ob es gleich
Mir ein schwarz Begräbniß zeigte
Und mit Vipernblicken sagte:
Dort erwart' ich morgen dich.

Fort mit finsteren Gedanken!
Horch! Die Trommeln hör' ich schon.
Sieh, dort sammeln sich die Damen,
Dort sind reiche Purpurzelte,
Blumen, und die Fahnen wehn.

Seht der Zug wogt in zwei Reihen.
Erst der Pikenträger Schaar;
Dann in seidenen Gewändern,
Die Barone unter Fahnen,
Sammtbarette auf dem Haupt.

Nun der Priester Meßgewänder!
Herolde auf weißem Roß;
Alle tragen ihrer Herren
Wappen, zu des Stamms Gedächtniß
Auf den Stahlharnisch gemalt. —

Sehet doch der Tempelherren
Perserrüstung — o wie schön!
Seht die Schützen aus Lausanne,
Mit der langen Partisane,
Angethan mit Büffelwamms.

Nah der Herzog! Seine Banner
Flattern in der Ritter Schaar;
Einige genomm'ne Fahnen
Kommen schimpflich als die letzten. —
Dort die Paukenschläger! Seht!"

Also sprach sie. — Ihre Blicke
Drangen in die dichten Reih'n. —
Unter die gleichgült'ge Menge
Sank zurück sie — starr und sterbend —
— Da vorbei die Pauken schon.

VII.

Das Gefecht.

Die Heere bewegen sich, der Angriff ist
furchtbar, die Kämpfer sind furchtbar,
die Wunden sind furchtbar, das Gefecht
ist furchtbar.

Gonzalez Berceo,
die Schlacht von Simancas.

Hirt, ändre deinen Weg! Von Speeren und von Bogen,
Sieh' dort zwei dichte Reih'n am Fuß der Hügel wogen;
Zwei Bataillone nahn mit kriegerischem Gang,
Auf ihrer Führer Wink, die Haß und Ruhmgier trennen,
Bereiten sie sich vor, zum Aneinanderrennen,
Hör das Geschrei! dich schaudert, es ist ihr Schlachtgesang.

„Raubvögel, schüttelt das Gefieder,
Herbei, herbei aus Horst und Kluft,
Auf diesem Blachfeld laßt euch nieder
Als wär' es eine frische Gruft!
Das Schwerdt gezogen! — Vor des Tages
Entfliehen, noch die Feinde schlag' es!
Längst schwieg der Abendpsalmen Ton!
Der Priester, welcher zieht mit Jenen
Ließ ihre letzte Vesper tönen,
Den Segen gab uns unsrer schon.

„Halbert, Normannen Freiherr, Ronan der Fürst von
Gallen,
Die Kräfte hier zu messen, das ist ihr Wohlgefallen;
Die Gallier sind kühn, Normannen sind geschickt,
Ihr sehet diese sich in Eisenharnisch stecken,
Und Jene machen, sich die wilde Stirn zu decken,
Den Helm aus Wolfes Rachen, mit Zähnen ausgeschmückt.

„Was fragen wir nach Wittwen Harme,
Sagt, was uns Waisenklage thut:
Wir waschen Morgen unsre Arme
Im Flusse rein, von Koth und Blut.
Fest unf're Reihn, verbrennt die Zelte!
Drometen schmettert in dem Felde,
Schreckt die verhaßten Feinde ab,
Die sich umsonst entwickelt haben;
In jeder Furche schon gegraben,
Ist für die ganze Schaar ihr Grab.

„Staubwirbel hüllen sie. — Gegeben ist das Zeichen,
Und ihre schweren Schritte, des Donners Rollen gleichen. —
So wie zwei schwarze Pferde, die ihrer Zügel los,
So wie zwei große Stiere, die sich im Kampfe fassen,
Brechen mit großem Lärm die beiden Eisenmassen,
Die zwiefach ehr'ne Stirn jetzt mit demselben Stoß.

„Auf Krieger! Angriff wird geblasen!
Auf eilet, schlagt! zu Tod und Fall!
Auf bei der Sachsenhörner Rasen,
Bei der Normannen=Zinken Schall!
Auf, Dolche, Degen, Lanzenfahnen,
In Blut getauchte Partisanen,
Streitärte, Messer, rasch gefällt;
Auf stoßet eure rauhen Spitzen
In der zerschellten Rüstung Ritzen,
Dem Dornstrauch gleichend in dem Feld!

„Wo ist die Sonne denn? Sie glänzt in Dunst getauchet,
Wie in entflammter Schmiede ein Schild roth glühend
rauchet,
Der Stahl thut leuchtend sich in blut'gem Nebel kund;
Ein glüh'nder Ofen scheint das Thal jetzt, in der Weite,
Man möchte sagen, daß sich in der Eb'ne breite,
Urplötzlich sich eröffnend der Hölle grauser Schlund.

„Es zieht der Kampf sich in die Länge,
Die Heere drängen furchtbar sich,
Im Blute watet schon die Menge,
Der Helden Spiel verwickelt sich.
Nur immer vorwärts, immer weiter!
Das Fußvolk greift empört die Reiter
Und ihrer Rosse Harnisch an;
Die schaumbedeckten Pferde schaudern,
Die Keulen fallen ohne Zaudern
Auf Stahl und Leder, Thier und Mann.

„Chaos, in dem sich Waffen, Reiter und Roß gesellen,
Die Gallier, ganz bedeckt mit blutbeschmutzten Fellen,
Stürzen sich auf die Tartschen, die mörd'risch zugespitzt,
Da mit den Todten sie zu sterben kühn entbrennen
Und einer Feste gleich, mit wildem Muth berennen
Den Reiter der Normannen, der hoch im Sattel sitzt.

„Laßt, die ihr Schwert zerbrochen haben,
Kämpfen mit Nägeln und Gebiß,
Um zu entgehn der Wölf' und Raben
Heißhunger, sicher und gewiß!
Gefangen Keiner! Keiner Sklave!
Und müßt ihr sterben, sterbt als Brave!
Nur den Getödteten gebt Rast;
Daß wenn das Morgenlicht ergrauet
Es noch zerbroch'ne Schwerdter schauet,
Von uns mit starker Faust erfaßt!" —

Komm Hirt! Es sinkt die Nacht. — Es fließt mehr Blut
im Dunkeln,
Von noch viel wildern Hieben sieht man die Panzer funkeln,
Es trotzet seinem Zügel das Pferd in solcher Noth.
Komm, laß sie nur den Kampf, den blutigen beenden;
Sie Alle, die voll Gier sich zu dem Streite wenden,
Ruh'n sämmtlich morgen aus, als Sieger oder todt.

VIII.

An einen Wanderer.

Au soleil couchant,
Toi qui vas cherchant
   Fortune,
Prends garde de choir;
La terre, le soir,
   Est brune.
L'Océan trompeur
Couvre de vapeur
   La dune.
Vois, à l'horizon,
Aucune maison!
   Aucune!
Maint voleur te suit;
La chose est la nuit
   Commune.
Les Dames des bois
Nous gardent parfois
   Rancune.
Elles vont errer:
Crains d'en rencontrer
   Quelqu'une.
Les lutins de l'air
Vont danser au clair
   De lune.

La chanson du fou

Der du bei Sonnenuntergang dein Glück
suchst, hüte dich zu fallen; die Erde ist des
Abends braun; der trügerische Ocean bedeckt
die Düne mit Dünsten. Sieh am Horizont

XVI.   **13**

kein Haus, keines! Mancher Dieb folgt dir;
das Ding ist bei Nacht gemein; die Damen
des Waldes haben oft einen Zahn auf uns;
sie streifen jetzt, hüte dich irgend einer zu
begegnen; die Luftgeister tanzen im Mondschein.
                        Das Lied des Narren.

O Reiter, der du spät, allein von deinem Hunde
Begleitet, dröhnen machst das Pflaster unter dir,
Der Tag war heiß, wohin ziehst du zu dieser Stunde?
Warum entsattelst du noch nicht dein müdes Thier?

Die Nacht! — Und fürchtest du denn nicht, daß du im
                                                Nebel
Des Berg's den Räuber siehst, am Gürtel seinen Säbel?
Daß von den Wölfen, die, sobald der Tag erlischt,
Nach Raub gehn, und den Huf nicht scheu'n, sich plötzlich
                                                einer
An deinen Sattel hängt, und mit dem Schaum seiner
Fangzähne mörderisch dein schwarzes Blut vermischt?

Und fürchtest du denn nicht, daß dich so spät am Abend
Ein Irrlicht blenden wird? Daß, in der Irre trabend,
Du — wehe dir! — wie es in alter Zeit geschah,
Von einer Stätte träumst, wo helle Scheiben glänzen,
Vergoldete Fasanen den Feuerheerd bekränzen,
Und doch das Licht stets weicht, das du gewähnt so nah.

O hüte dich, daß du dich nah'st des Ortes Feuern,
Wo ihren Sabbath die Dämonen heulend feiern,
Den Ort, von Gott verflucht, von Satanas entweiht;
Dem Zauberschloß, von dem die Hölle die Geschichte
Erzählen kann; das, öd' bei Tage, Nachts von Lichte
Erglüht, und Funken aus den goth'schen Fenstern spei't.

Einsamer Reisender, der du, von deinem Hunde
Begleitet, dich im Trab so schnell entfernst von hier,
Der Tag war heiß! kehr' ein! — warum zu dieser Stunde
Entsattelst du noch nicht dein schweißbedecktes Thier?

F. u. W.

13*

IX.

Die Fee und die Peri.

Ihr flüchtig Schattenbild wirb burch bie Blätter
weben;
Auf Wolken wirst bu sie berniebersteigen seben;
Sie funkeln in ber Luft, unb aus bes Meeres
Schaum
Erheben sie sich oft, süß lächelnb wie ein Traum;
Unb klagenb, wie bei Nacht ber Westwinb klagt
im Rohre,
Wirb ihrer Stimme Ruf ertönen beinem Ohre.
André Chénier.

1.

O Kinder, wenn ihr sterb't, so nehm't euch wohl in Acht,
Daß nicht ein böser Geist, von eurer lichten Fährte
Gelockt, euch auf der Bahn zum Himmel irre macht!
Hört, was vor Jahren mich ein alter Weiser lehrte: —
Dämonen, die, wenn auch dem Paradiese fern,
Doch nicht verfallen sind der Hölle ew'gen Gluthen,
Unstet und ruhelos, in Lüften und in Fluthen —
So schweifen sie einher bis auf den Tag des Herrn.
Verwiesen aus dem Kreis der himmlischen Cohorten,
Hält man für Engel sie nach ihren süßen Worten.

Flieh't! Wer den Argen folgt, der schaut den Himmel nie!
Sie übergeben ihn des Fegefeuers Flammen! —
O, fragt mich nicht, woher mir diese Kinder stammen;
Die Väter heiligten, ich wiederhole sie!

2.

Die Peri.

Wohin entfliehst du? ... Zu den Thoren
Des Himmels? ... Ach, der Weg ist weit!
Du junge Seele, kaum geboren
Und schon gestorben, sei erkoren
Zu meines Schlosses Herrlichkeit!

In meinen Gärten stets von Zweigen
Sei deine süße Stirn' umweht!
Von fern aus unserm luft'gen Reigen
Will deine Mutter ich dir zeigen,
Die trüb an deiner Wiege steht.

Komm zu der Peris heiterm Tanze!
Mir, als der Schönsten, dient ihr Chor;
Ich strahl' in meiner Schwestern Kranze,
Schön wie die Rose, deren Glanze
Sich neigt des Gartens ganzer Flor.

Mein Arm erglänzt von Demantringen,
Ein seid'ner Turban schmückt mein Haar;
Und laß ich meinen Flug erklingen,
So glüh'n auf meinen Purpurschwingen
Drei Flammenaugen wunderbar.

Mein Leib ist weißer als ein Schleier,
Der ferne flattert in der Luft;
Er schimmert wie ein Gangesreiher;
Sein Glüh'n ist eines Sternes Feuer,
Sein Duft ist einer Blume Duft!

Die Fee.

Des Abends Purpurwolken glühen;
Komm, schönes Kind, ich bin die Fee!
Ich herrsche, wo der Sonne Sprühen
Hinabzischt Abends in die See.
Der Occident küßt meine Füße;
Wenn seinen Nebel ich begrüße,
So flammt er auf, wie Scharlach schier;
Von trübem Duftgewölk umsponnen,
Erbau' in untergeh'nden Sonnen
Ich meine Zauberschlösser mir.

Azur'ne Flügel sieh' mich schmücken; —
Umschweb' ich munt'rer Sylphen Zug,
So glauben alle, meinem Rücken
Entzitt're Silberlicht im Flug.
Sieh', meine Rechte glüht wie Rosen;
Mein Odem ist des Zephyrs Kosen,
Der nächtlich um die Fluren weht;
Mein lockig Haar wallt golden nieder,
Und das Getöne meiner Lieder
Wird durch ein Lächeln stets erhöht.

Ich habe Blätterheiligthume,
Und Muschelgrotten, still und hehr;
Ich lasse wiegen mich die Blume,
Ich lasse wiegen mich das Meer.
O komm, ich will dein Haupt verklären!
Ich will der Wolke Zieh'n dich lehren,
Und zeigen dir der Fluth Geroll!
Komm, durch die Luft mit mir zu schwimmen,
Willst du, daß ich der Vögelstimmen
Geheimniß dir verrathen soll?

3.

Die Peri.

Ich wohn' im Orient; ich wohne, wo die Sonne
Schön wie ein König ist in seines Zeltes Wonne,
Wo ihre Scheibe stolz in ew'ger Bläue rollt;
So, eines lächelnden Gestades Emir tragend,
Die Welle mit den Rudern schlagend,
Zieht durch azur'ne Fluth ein Fahrzeug, das von Gold.

Es ward der Orient bedacht mit allen Schätzen.
Auf and'rer Länder Flur, nach mürrischen Gesetzen,
Wächst bei der lieblichen stets auch die bitt're Frucht.
Doch Gott, der Asien ansieht mit milder'n Blicken,
Läßt seine Flur mehr Blumen schmücken,
Mehr Sterne seine Nacht, mehr Perlen seine Bucht.

Von dort, wo Memnons Bild dasteht in stummer Trauer,
Erstreckt sich mein Gebiet bis an die große Mauer,
An deren Ringe matt der Völker Sturm zerschellt;
Die China's alten Staat umgürtend wie ein Gürtel,
Schier eines ganzen Welttheils Viertel,
In ihrem Schooße trägt wie eine fremde Welt.

Ich habe Städte, groß und herrlich anzuschauen:
Das funkelnde Lahor mit seinen Blumenauen,
Das prächt'ge Ispahan, Damaskus und Kaschmir;
Bagdad, das, panzergleich, stahlharte Mauern decken,
Aleppo, das der Feinde Schrecken,
Und dessen Murmeln tönt wie Meeresmurmeln schier.

Wie eine Fürstin thront Mysor' auf gold'nem Sitze;
Medina d'rauf, die Stadt, die starrend hundert spitze
Thürm' an die glüh'nde Wand des Horizontes lehnt,
Sie schimmert wie ein Heer, gelagert im Gefilde,
Das, funkeln lassend seine Schilde,
Mit einem Lanzenwald sein blitzend Lager krönt.

Wer in der Wüstenei die Trümmer Thebens schaute,
Der glaubt, sie harreten des Volks, das sie erbaute.
Zwei Städte läßt Madras in seinen Mauern stehn.
Auf Delhis Wällen ruh'n bewaffnete Trabanten;
Es können Kriegeselephanten,
Zu zwölf in einer Reih', durch seine Thore gehn.

Begleite mich, o Kind, nach meines Reichs Gestaden!
Umschwebe du mit mir die Dächer des Nomaden,
Die, runden Körben gleich, mit Blumen sind gefüllt!
Die Bajadere sieh' mit aufgelöstem Haare,
Am Abend, wenn die Dromedare
Halt machen, wo der Born der Wüste perlend quillt!

Da glüh'n im Feigenwald und bei den Sykomoren
Zinnkuppeln, wie sie trägt das Minaret des Mohren;
Ihr Perlenmutterdach läßt die Pagode glüh'n;
Der Porcellanthurm sprüht im Sonnenscheine Funken,
Und in den himmelblauen Junken
Erhebt verschleiert sich der Purpurbaldachin.

Ich will entwirren dir die Zweige der Platane,
Die uns das Bad verbirgt der träumenden Sultane;
O komm! gerettet sei die holde Jungfrau, die,
Erzitternd ihres Herrn und seiner Wächter Grimme,
Lauscht, ob der Wind ihr bringt die Stimme,
Die süßer als das Lied ihr klingt des Bengali.

Im Orient einst hat das Paradies gelegen. —
Der Lenz beschüttet ihn mit Rosen allerwegen;
Ein Garten, lächelt er, und duftet für und für!
O komm, daß dich die Pracht des Orients begrüße!
Die bang du seufzest, komm, o Süße!
Thu' ich dir Eden auf, was gilt der Himmel dir?

Die Fee.

Und meine Heimath sind des Abends Duftgefilde,
Dort, wechselnd in der Luft sein nebelhaft Gebilde,
Zieht langsam das Gewölk. — Verfolgend einen Traum,
Sein flatternd Haar bereift, sein Auge kühn und blitzend,
Auf einem moos'gen Steine sitzend,
Sieht es der Siedler zieh'n im Raum.

Denn wisse, schönes Kind, durch meiner Nebel Kräuseln,
Durch meiner Berge Schnee und meiner Wälder Säuseln
Wird allezeit ein Herz, das blutet, mild erfrischt!
Und dann auch durch den Stern, den süßen, der bescheiden
Und hoffend bei des Tages Scheiden
Dem Abend seinen Aufgang mischt.

Mein dunkler Himmel wird beweinen deine Schmerzen,
Kind, das der Ewige losriß vom Mutterherzen!
Des Thales Wiederhall, der abendliche Wind,
Des Baches Klageton, der Wälder flüsternd Singen,
Das Alles soll dich nun umklingen
Anstatt des Wiegenlied's, mein Kind!

Entflieh' dem öden Kreis der blauen Horizonte!
Beglückt der Himmel nur, der sich verschleiern konnte;
Das Land, auf das durch Duft der Strahl der Sonne fällt!
Wo man die Lüfte sieht, von Nebelreih'n durchschwommen,
Gleichwie von Flotten, welche kommen
Aus einer unbekannten Welt!

Für mich ist's, daß zur See der Winde stürmisch Tosen
Die Fluth zusammenballt zu prächt'gen Wasserhosen;
Ich fessle den Orkan durch meiner Lieder Schall;
Und weißt du, daß ich auch den Regenbogen schmücke?
Wie eine Perlenmutterbrücke
Bespringt er Fluthen von Krystall.

Mein sind der maurischen Alhambra schlanke Bogen;
Mein ist der Grotte Pracht, in welcher seine Wogen
An Pfeilern von Basalt läßt branden Staffa's Meer;
Dem Fischer steh' ich bei, und lausche seinen Bitten,
Baut seine räucherigen Hütten
Auf Fingals alten Schlössern er.

Dort schreck' ich oft die Nacht mit täuschenden Auroren;
Ich fahre durch die Luft mit sprüh'nden Meteoren;
Ich mache, daß die See mit Flammen bunt sich schürzt.
Der Jäger auf dem Fels, sieht er das Thal sich röthen,
Glaubt einen brennenden Kometen
Zu schau'n, der in das Meer sich stürzt.

Komm, junge Seele, komm! und laß uns dann zusammen
Bevölkern die Abtei mit luft'gen Irrwischflammen;
Nimm dieses Silberhorn, daß es im Forste schallt;
Mit meiner Zwerge Schaar durch das Gebirge reite;
Führ' an die unsichtbare Meute,
Die jede Nacht durchbellt den Wald!

Barone sollst du seh'n, knie'nd vor der Gatterthüre
Des Thurms, daß ihre Hand los die Sandale schnüre
Des Pilgers; — ihre Burg erhebt sich fest und kühn.
Die holde Schloßfrau dann, für eines Pagen Leben
Siehst du ihr schwimmend Aug' erheben
Zu der gemalten Scheiben Glüh'n.

Wir sind es, deren Hauch durchsäuselt die Portale
Und das sonore Schiff der goth'schen Kathedrale;
Und wenn der Espe Laub im Mondenschimmer bebt,
Dann — mancher alte Hirt wird staunend es bezeugen! —
Sind wir es, deren Zug den Reigen
Um stiller Weiler Kirchthum webt.

O komm, ich öffne dir des Occidentes Riegel! —
Der Himmel ist noch weit, und schwach sind deine Flügel!
Vergiß die weite Fahrt in meiner Schwestern Chor!
Sieh', unser Reich ist groß! In wilder Schönheit glüht es!
Den Ufern seiner Heimath zieht es
Verwund'rungsvoll der Fremdling vor!

———————

Und schwankend hörte sie das Kind, und sah zurücke,
Denn süß zum Ohre dringt der Geister trüg'risch Flehn;
Ihm war, als ob sich heut' die Erde doppelt schmücke; —
Doch plötzlich, siehe da! entschwand es ihrem Blicke . . . .
Es sah den Himmel offen stehn!

Fr.

———————

X.

Das Turnier des Königs Johann.

Knappe, sattle
Mir im Schloß
Jetzt mein rasches
Treues Roß.
Denn vor Freude
Hüpft mein Herz,
Preß' ich meiner
Bügel Erz.

Auf, daß rasch du
Vorwärts sprengst,
Mein getreuer
Berberhengst;
Vom Turniere
Hör' mich an,
Unsers Königs,
Herrn Johann.

Hab' ein Pfaffe,
Feist und dick,
'S Dintenfaß zum
Wappenstück;

Hinter'm Gitter
Spreng' die Dirn'
Sich mit Beten
Stirn' und Hirn!

Wir, die Gott mit
Gnaden freut
Und uns machte;
Edelleut'
Müssen lärmen
Wild und viel;
Und der Krieg ist
Nur ein Spiel.

Meine Seele
Ward erbost;
Denn die Klinge
Fraß der Rost;
Und es wandelt
Sie sich d'rum
Fast in eine
Kunkel um.

Diese Stadt da,
Lärmerfüllt,
Die die graue
Stirn' enthüllt,

Mit gar manchem
Burgverließ,
Thurm und Zinnen,
Ist Paris.

Das Gedräng'! Bei
Meinem Schild!
Das dem Bach' gleich
Abwärts quillt,
Und sich treibt bald
So, bald so,
Ist die Straße
Saint Marceau.

Notre=Dame!
Wie so schön!
Habe Schön'res
Nie gesehn.
Möchte d'rinnen
Priester sein,
Daß mein Grab Ich
Brächt' hinein.

Dort die Tänze,
Der Gesang,
Paaren Bursch' und
Mädchen schlank.

Welche Feste!
Wieviel Köpfe
Vor und nach,
Auf der Häuser
Giebeldach.

Dort der Schlingel,
Schön geschmückt,
Wie ein Ochse,
Bläst und drückt,
Spielt den Marsch
Von Luzarche
Fort und fort,
Auf der neuen
Brücke dort.

Dort der Louvre,
Schwer und breit,
Oeffnet sich, bei
Tag nur weit;
Schließt die Krone
Um und um;
In dem Thurme
Welch Gesumm!

XVI.   14

Heil dem König
Und den Frau'n!
Kannst der Kampfstatt
Flammen schau'n;
Wo die Menge,
Die sich reibt,
Mit Gedränge
In die Enge
Wild sich treibt. —

Nicht gewartet,
Nur heran!
Zarten Blickes
Greift mir an.
Von den Sätteln,
Hold zu schau'n,
Auf dem Altan
Süße Frau'n.

Saulx Tavanne,
Wie prahlt er so,
Dieser Schlingel;
Und Chabot,
Guter Fechter,
Weckt zum Gruß
Mons Fontraille
Hinkefuß.

Drunten Serge,
Der sich band,
Junggeselle
Hin zu pilgern
Zum gelobten
Heil'gen Land.

Da Lothaire! den
Man zum Spott
Herzog heißet
Ohne Land,
Und Sauveterre,
Den den Gott
Und den Teufel
Man genannt.

Der Vidome
Von Conflans
Schreitet seiner
Holden Dame,
Ganz gemach,
Langsam nach.
Mehr als einer
Schönen, Augen

14*

Übergehn,
Diese Braune
Mit den weißen
Lilienarmen
Anzusehn.

Droben glänzt, wie
Mondesschein,
Pfeilt mit der
Stirn, so rein. —
Drunten sitzen
Alte nur,
Schön geschmückt mit
Gold'ner Binde
Auf Azur.

In den Schranken,
Blick' empor!
Bertha, Alix,
Leonor';
Dam' Irene,
Deine Pathe,
Lieb und hold,
Und die Königin
Ganz in Gold.

Dam' Irene
Spricht also:
Wie? die Königin
Hier nicht froh?
Und die Hoheit
Redet: Ich?
Liebe Gräfin,
Gram und Trauer
Quälen mich.

Man beginnet.
Glockenklang,
Lanzenstöße,
Lärm und Drang!
Schreckensrufen
Nah' und fern;
Denn man schlägt sich
Und erschlägt sich
Bei Sanct Jörge
Und dem König,
Unserm Herrn!

Dort die Menge
Eisenfluth,
Stößt und drängt sich
Voller Gluth.
Regt, bewegt sich

Hin und her,
Saufet, brauset,
Wie die Welle
In dem Meer.

In der Eb'ne
Blitzt es auf;
Drüben, hüben,
Ab und auf.
Welches Tosen,
Welch Geschwärm!
Blut und Tressen,
Engelsfreude,
Höllenlärm!

Auf, mein Renner,
Halte fest,
Diesem Grauen
Mach' ein Fest. —
Zur Belohnung
Geb' ich her,
Heu und Häcksel,
Hafer, mehr

Als ein Mönchlein,
Dick und feist,
Fratzen schneidet
Allermeist,

Wenn es bettelnd
Terminirt,
Oder betet
In den Straßen,
Die du mit mir
Durchpaſſirt. —

Dort ein Page
Stürzt am Thurm;
Eine Lilie,
Die geknicket
Ward vom Sturm.
Hat den letzten
Tag gehabt;
Sinkt in Ohnmacht,
Giebt den Geist auf
Und verlanget
Einen Abt.

Der Fanfare
Gold'ner Klang,
Die dich machte
Scheu und bang,
Schallt noch laut um

Seinen Fall;
Traur'ger Wettkampf
Dort, der Flöte
Und des Hornes
Wiederhall.

Jungfrau'n, Mönche
Hoch empor,
Tragen große
Kerzen vor.
Schöne Augen
Weinen dort,
Still im Dunkeln,
Um den Armen
Fort und fort.

Denn die holde
Isabeau
Wird von nun an
Nicht mehr froh.
Welch Gestöhne,
Seufzer hier,
Bange Thränen. —
O wie herrlich,
Ein Turnier!

Auf, mein Alter!
Wie der Blitz,
Laß uns kehren
Nun zu unserm
Freiherrnsitz.
Auf, noch rascher!
Finden nun
Weiches Lager,
Um zu ruh'n.

Du den Hafer
Auf der Bahn,
Ich das Mönchlein,
Den Kaplan;
Diesen Frommen
Aus und ein,
Der mich todt macht
Mit Latein.

Der da schreibet,
Frisch und warm,
Jede That von
Meinem Arm,
Die auf meine
Kosten er
Stellt auf breitem
Pergamente
Prächtig her.

Denn ein wahrer
Herr Baron
Läßt solch Amt dem
Bauernsohn.
Seine Hand stets,
Wenn er schreibt,
Knickt die Feder,
Und die Blätter
Gleich zerreibt.

XI.
Die beiden Schützen.

Dames, ayez un conte lamentable,
Baïf.
Damen, hört eine klägliche Geschichte.

Es war die Zeit der Nacht, voll Finsterniß und Schrecken,
Wo man bei jedem Schritt befürchtet aufzuwecken
Dämonen, die noch trunken vom Hexensabbath sind;
Die Zeit, in der man zu den Anderen spricht leise
Und wo der Wanderer sich sputet auf der Reise,
Damit den Ausgang er der Schlucht gewinnt.

Es gingen zwei Wildschützen, dort in des Thales Grunde,
Wo Ihr den alten Thurm noch einsam seht, zur Stunde,
Der, als nach Palästina zog unf'rer Könige Heer.
Von einem Eremiten, wie unf're Väter sagen,
Bloß mit des Kreuzes Zeichen gebaut ward in drei Tagen
Und Nächten, keine Stunde mehr. —

Die Beiden zündeten, obwohl just nicht geheuer
War Zeit und Ort, zum Mahl sich furchtlos an ein Feuer,
Und setzten sich, da sie ihr Waldhorn abgelegt,
Hin auf ein Heil'genbild von Stein, das seine Hände
Gefaltet hielt und schien, als ob sich's betend wende
Im Staube, und noch seine Lippen regt'.

Die Flamme warf indeſſen gar wunderliche Helle
Auf Berg und Wald und auf des alten Thurmes Wälle,
Die Eulen ſcheuten ſich in ihrer Kluft, fürwahr!
Die Fledermäuſe, die ein Hexenſabbath fordert,
Sie ſtreiften durch die Flamme, indeß empor ſie lodert,
Mit ihrem großen, ſchwarzen Flügelpaar.

Der jüngre Schütze ward befragt nun von dem alten:
Trägſt du ein hären Hemd? — Pflegſt Feſttag du zu halten?
Erwiedert Jener ihm und Jeder dabei lacht.
Da hören ſie Gelächter die Stille unterbrechen,
Wüſt war das Thal und dicht das Dunkel; Beide ſprechen:
Es iſt das Echo, das im Walde lacht.

Plötzlich zeigt ihren Blicken ſich einer Flamme Schimmern,
Mit blauen Furchen ſeh'n ſie es am Berge ſchimmern,
Die beiden Läſterer erſchreckt es dennoch nicht;
Sie werfen neue Äſte auf die erhitzte Erde,
Und ſagen: Sieh' das iſt der Schein von unſer'm Herde
Der ſich im nahen Waſſerfalle bricht.

Das Echo aber — (Jeder muß ſich vor Furcht hier bücken —)
War Satan, der da lachte, hoch auf des Hügels Rücken;
Der Schein, er ging von ſeinem Körper aus in die Nacht;
Es war der bleiche Tag, den er bringt unſern Räumen,
Der ſchwefelſchwang're Strahl, den er in grauſen Träumen
Uns aus der Hölle hat gebracht. —

Bei dem entweih'nden Jubel ihrer sündhaften Freude,
Stürzt er herbei, gleich wie ein Wolf auf seine Beute,
Hat sie mit heißen Augen im Finstern angesehn.
— „O lacht und lästert nur in jeder freien Stunde,
Gar bald lass' ich das Lachen auf Eurem wüsten Munde
Zum Zähneknirschen übergehn!"

Die breite Spur eines gespalt'nen Fußes zeigte
Erloschne Asche, als der Morgen still sich neigte,
Verlassen war das Thal den ganzen Tag und schwieg;
Doch eine blaue Flamme in mitternächt'ger Stunde,
Gewahrte dort ein Hirte, in jenes Herdes Runde,
Die nicht empor zum Himmel stieg.

Wie sie am Boden hin sich kriechend fort bewegte,
Hört er ein Lachen das sich in der Wüste regte,
Und starr ward er vom Grausen das über ihn gebracht;
Satan und sein Gefolge konnt' er dort nicht entdecken,
Und konnte nicht begreifen, in seinem tiefen Schrecken,
Was sie erlitten, daß sie so gelacht.

Allnächtlich warf von nun die wunderfame Helle
Auf Berg und Wald und Feld der Herd an jener Stelle,
Die Eulen scheuten sich in ihrer Kluft fürwahr!
Die Fledermäufe, die der Herenfabbath fodert,
Sie streiften durch die Flammen, indeß empor sie lodert,
Mit ihrem großen, schwarzen Flügelpaar.

Nichts, eh' im Morgenroth die Schatten nicht verschwammen,
Vermochte je zu löschen die wilden Höllenflammen;
Ob auch ein Ungewitter ausbrach mit großer Wuth,
Das Lachen scholl noch lauter als nur der Donner rollte,
Die Flamme schlug empor vom Staub, als ob sie wollte
Sich einen mit der Blitze Gluth.

Endlich in einer Nacht erhob das Bild von Steine
Des alten Heil'gen sich in seinem Wunderscheine,
Drei Schritte that er zu derselben Zeit;
Das grause Höllenwunder verstand er zu beschwören,
Sprach mit den starren Lippen: Gott möge mich erhören!
Und öffnet die granit'nen Arme weit.

Alsbald erlosch nun Alles, Flammen, Gelächter, Blitzen;
Die beiden Schützen sah man am andern Morgen sitzen
Todt auf dem Bild von Stein. — So war es, ja gewiß. —
Begraben wurden sie; der Gutsherr unterdessen
Vermachte der Kirche des Orts für Seelenmessen
Gar fromm drei Deniers Parisis.

Wenn irgend eine Lehre sich birgt in der Geschichte,
Was macht's! — Ich will daß man sie glaube und nicht richte;
Sie glaube? — O was sagt' ich! — Die Zeit ist längst dahin.
Nur halb noch will man jetzt dem Glauben hin sich geben,
Und Keiner, da wir nur nach eitel'm Wissen streben,
Versteht andächtig hinzuknie'n. —

XII.

Das Geständniß des Burgherrn.

Pource aimez - moy, cependant qu' estes belle.
Ronsard.

Darum liebt mich, so lange Ihr schön seid.

Höre mich, o Magdalene!
Sieh, der Winter mied die Eb'ne,
Die er gestern noch durchdrang.
Komm zum Wald, wo mein Gefolge
Sich zurückzieht, weitgeführet
Durch des Hornes irren Klang.

Sagen kann man, Magdalene!
Daß der Frühling, dessen Odem
Ihre Gluth den Rosen giebt,
Sein Gewand, so voll von Blumen,
Auf die Flur heut' Nacht verstreuet,
Daß er sei von dir geliebt.

Wäre ich, o Magdalene!
Doch das Lamm, deß weiße Wolle
Wird gepflegt von deiner Hand!
Wär' ich der beschwingte Vogel,
Den du lockest in den Lüften,
Wenn er deinem Blick entschwand! . . .

Wär' ich doch, o Magdalene!
Der Eremit von Tambelaine,
Dem, nach brünstigem Gebet,
Keusch dein Mund, vor seinem Ohre,
Deine letzten, kleinen Sünden
Schüchtern jungfräulich gesteht.

Hätt' ich doch, o Magdalene!
Nur das Auge der Phaläne,
Wenn mein Kind zum Schlaf sich legt,
Und sie mit den bunten Flügeln
An die klaren Fensterscheiben
Deiner stillen Kammer schlägt.

Wenn dein Busen, Magdalene!
Aus dem Fischbeinleibchen schlüpfet,
Nicht vom Mieder mehr bedrängt,
Und die Schaam, dich nackt zu sehen
Mit dem Kleid, unschuld'ge Dirne!
Deinen Spiegel rasch verhängt!

Wenn du wolltest, Magdalene!
Sollte voll bald von Vasallen
Deine kleine Wohnung sein;
Und dein Betpult sollte decken,
Mit dem schwarzen Schillertafte,
Seiner Bögen rauhen Stein.

Wenn du wolltest, Magdalene!
Sollte statt des Majoranes,
Der dein niedlich Käppchen schmückt,
Eine Grafen= oder Freiherrn=
Krone, gleich dein Köpfchen zieren,
Reich mit Perlen ausgeschmückt.

Wenn du wolltest, Magdalene!
Macht' ich dich zur Edeldame;
Sieh, Roger der Graf bin ich. —
Laß die Hütte mir zur Liebe,
Oder willst du, daß in einen
Hirten ich verwandle mich?

XVI.   15

XIII.

Der Hexensabbath.

An Ch. Nodier.

Hic chorus ingens
.... Colit orgia.
Acienus.

Seht vor dem schwarzen Kloster den Mond sich trüb
verschleiern,
Als gält' es heimlich dort Mysterien zu feiern;
Der Geist der Mitternacht grausend vorüberflieht
Und schaukelt zwölfmal sich, da er die Glocke zieht;
Der Lärm bewegt die Luft, du hörst ihn weithin rollen
Und eingeschlossen in der Glocke scheint sein Grollen.
Das Schweigen kehret mit dem Dunkel . . . Horcht,
wer schreit
So fürchterlich? Wer sendet den hellen Schein so weit?
O Gott, die Wölbungen, die Thürme, Thüren, Stangen,
Es ist, als wären sie vom Feuernetz umfangen;
Und das geweihte Wasser, in dem ein Wedel ruht,
Braust im granit'nen Kessel hoch auf mit wilder Fluth.
Laßt unsern Heiligen empfehlen uns zusammen!
In diesen blauen Strahlen, in diesen rothen Flammen,

Mit Lärm und mit Gesang, mit Seufzern und Geschrei,
Kommen aus Fluß und Schlucht, aus Wald und Fels
herbei
Die Larven und die Drachen, die Vampyre, die Gnomen,
Wie sie die Hölle nur sich träumet in Phantomen,
Die Hexe, die dem Grab, dem öden, ist entwischt,
Auf einem Birkenast, der durch die Lüfte zischt;
Die Zaub'rer, deren Stirnen Tiaren mystisch kränzen,
Auf denen flammend Worte der Kabbala erglänzen,
Die finsteren Dämonen, Spukgeister voller List:
Durch das gesprengte Thor, durch's Dach, das offen ist,
Durch die zerbroch'nen Scheiben ziehn sie nun ein mit
Sausen
In das zerstörte Kloster, wo ihre Fluthen brausen.
Aufrecht in ihrer Mitte steht Lucifer nun hier,
Birgt unter Eisenmütze die Stirn von einem Stier;
Die bunten Flügel deckt er mit dem Meßgewande,
Es ruht sein Fuß auf des zerstörten Altar's Rande.
O Graus! an diesem Ort nun singen sie zur Nacht,
Wo unaufhörlich sonst das Auge Gottes wacht.
Die Hände suchen sich ... alsbald beginnt die Runde,
So dumpf wie ein Orkan, sich drehend in dem Grunde,
Und vor dem Blick, der nicht den Umriß fassen kann,
Tritt jede scheußliche Gestalt nun wechselnd an.
Man glaubte, daß die Hölle in Finsterniß sich drehe
Und daß man ihren Thierkreis voll grauser Zeichen
sehe.

15 *

Vom Kreise fortgerissen fliegen sie allzumal,
Und mit dem Fuße leitet Satan der Stimmen Schall.
Es stört ihr Schritt, von dem die Riesenbogen beben,
Die Todten, die dort unten dem Schlummer hingegeben.

    „Mischt euch ohne Wahl!
    Während daß die Menge
    Sausend ihn umkreiset,
    Tritt Satan mit Füßen
    Kreuz, Altar zumal!
    Passend ist die Stunde,
    Und die ew'ge Flamme
    Gleicht auf seinen Flügeln
    Fürstenpurpur-Strahl!"

Es stört ihr Schritt, von dem die Riesenbogen beben,
Die Todten, die dort unten dem Schlummer hingegeben.

    „Sieg dem dunkeln Trug!
    Kommet, Schwestern, Brüder,
    Kommt aus allen Orten,
    Auf aus Schlucht und Grüften,
    Nehmt hierher den Zug!
    Hölle ist Begleiter,
    Kommt in ganzen Schaaren
    Und in Wagen, welche
    Zieht der Greife Flug!"

Es stört ihr Schritt, von dem die Riesenbogen beben,
Die Todten, die dort unten dem Schlummer hingegeben.

> „Zwerge Hinkebrut,
> Kommet ohne Reu'e,
> Vampyre, deren Lippen
> Niemals sich entwöhnen
> Von der Todten Blut;
> Kommet Höllenweiber,
> Nebenbuhlerinnen,
> Treibet eurer Stuten
> Ungezähmte Wuth!"

Es stört ihr Schritt, von dem die Riesenbogen beben,
Die Todten, die dort unten dem Schlummer hingegeben.

> „Ihr, im Kirchenbann
> Irrende Zigeuner,
> Gottverfluchte Juden,
> Bleiche Nachtgespenster,
> Komme wer da kann!
> Kommt vom Wind getragen,
> Steiget auf's Gesimse
> Der verfall'nen Mauer,
> Flieget, kriecht heran!

Es stört ihr Schritt, von dem die Riesenbogen beben,
Die Todten, die dort unten dem Schlummer hingegeben.

„Böcke! Euch gesellt!
Kommt ihr magern Psyllen,
Hag're Aspiolen!
Kommt, wie Hagelschauer
Stürzet euch auf's Feld!
Zwietracht sei verbannet,
Nahet euch im Tacte,
Schlinget wilde Reihen,
Singet, daß es gellt!"

Es stört ihr Schritt, von dem die Riesenbogen beben,
Die Todten, die dort unten dem Schlummer hingegeben.

„Jetzt wird's trefflich sein!
Zauberlehrling senge
Deines Bartes Haare,
Die mit rothem Blute
Reich du salbtest ein!
Jeder werf' in's Feuer
Irgend eine Beute,
Und zermalme knirschend
Bleiches Todtenbein!"

Es stört ihr Schritt, von dem die Riesenbogen beben,
Die Todten, die dort unten dem Schlummer hingegeben.

„Keck, mit wildem Fluch
Und mit kecker Stimme
Paradirt der Böse,
Sanct Matthäi Verse
Voller List und Trug;
Und in der Kapelle,
Wo sein Fürst ihn fordert,
Buchstabirt ein Teufel
Gottes heilig Buch."

Es stört ihr Schritt, von dem die Riesenbogen beben,
Die Todten, die dort unten dem Schlummer hingegeben.

„Aus der Gruft gekehrt,
Breit' in jedem Stuhle
Aus, ein falsches Mönchlein
Das Gewand, das sengend
Sein Gebein versehrt;
Und ein schwarzer Laie
Hefte die verfluchten
Flammen, an die Fackeln,
Sonst so fromm genährt."

Es stört ihr Schritt, von dem die Riesenbogen beben,
Die Todten, die dort unten dem Schlummer hingegeben.

„Satan ist euch nah!
Mit den groben Händen
In dem dicken Staube
Schreibet, schreibt ihr Hexen
Abracadabra!
Flieget falbe Vögel,
Deren kahle Flügel
Oben an der Decke
Hängen auf Smarra!"

Es stört ihr Schritt, von dem die Riesenbogen beben,
Die Todten, die dort unten dem Schlummer hingegeben.

„Das Signal erschallt
Und uns ruft die Hölle:
Habe jede Seele
Keine and're Flamme
Einst, jung oder alt!
Möge alle Wesen
So in ihre Kreise
Schließen uns'rer Runde
Wilde Allgewalt!"

Des Frühroths bleiche Lichter nun durch die Wölbung
schweben,
Und der Dämonen Schwarm flieht rasch der Hölle zu;
Die Todten, die von Neuem sich hin dem Schlummer geben
Legen auf's staub'ge Kissen die kalte Stirn zur Ruh'.

———

XIV.

Die Legende von der Nonne.

An L. Boulanger.

Acabóse vuestro bien
Y vuestros males no a caban.
Spanische Ballade.

Dein Gutes endete sich, aber deine
Uebel nehmen kein Ende.

O kommt, ihr deren Augen funkeln,
Ich trag' euch ein Geschichtchen vor;
Kommt zu mir; ich will euch erzählen
Von Donna Padilla del Flor.
Die aus Alanje; wißt, es häufen
Haidrücken sich und Hügel dort.
Kinder! Die Ochsen ziehn vorüber,
Thut eure rothen Schürzen fort.

Seht in Granada giebt es Mädchen
Und in Sevilla auch zu sehn,
Die um die kleinste Serenade
Die Liebe gleich um Gnade flehn,
Und die des Abends keck umarmen
Alsbald die Herrchen, auf mein Wort!
Kinder! Die Ochsen ziehn vorüber,
Thut eure rothen Schürzen fort.

Nicht darf man so leichtsinnig reden
Von dieser Donna Padilla,
Da nimmer man in span'schen Augen
So keusche Flamme glänzen sah.
Sie floh die Männer, die verfolgen
Die Mädchen bei den Pappeln dort;
Kinder! Die Ochsen ziehn vorüber,
Thut eure rothen Schürzen fort.

Nicht süße Sorgfalt, heit're Reden,
Nichts war es daß sie hold empfing; —
Denn für ein Wort aus schönem Munde,
Für dunkler Augen Liebeswink
Sind sonst die Herrn und Junggesellen,
Gar sehr empfänglich, auf mein Wort!
Kinder! Die Ochsen ziehn vorüber,
Thut eure rothen Schürzen fort.

Sie nahm den Schleier zu Toledo,
Zum Schmerz dem menschlichen Geschlecht;
Als ob, wenn man nicht eben häßlich
Man Gott zu freien hat das Recht.
Es fehlte wenig, daß nicht weinten
Soldaten und Studenten dort. —
Kinder! die Ochsen z'ehn vorüber,
Thut eure rothen Schürzen fort.

Sie sprach: „Fern von dem Weltgewühle
Wer da fromm für die Sünder fleht,
Wie glücklich ist er! Welcher Friede
Ruht im Gesange und Gebet;
Denn unser Schirm sind stets die Engel
Wenn uns der Böse drohet dort!" —
Kinder! Die Ochsen ziehn vorüber,
Thut eure rothen Schürzen fort.

Allein, kaum war sie in dem Kloster,
Als ihr auch schon die Liebe nah. —
Ein stolzer Räuber aus der Gegend
Kam hin und sagte: „Ich bin da."
An Keckheit übertreffen Räuber
Oft Ritter, glaubt es auf mein Wort!
Kinder! Die Ochsen ziehn vorüber,
Thut eure rothen Schürzen fort.

Gar häßlich war er: harte Züge,
Rauh wie der Handschuh seine Hand;
Doch Liebe wirkt geheim; die Nonne
Bald heiße Gluth für ihn empfand.
Man findet Rehe die vertauschen
Den Bock mit Ebern, auf mein Wort!
Kinder! Die Ochsen ziehn vorüber,
Thut eure rothen Schürzen fort.

Um sich zu nah'n den heil'gen Mauern,
Dem frommen Kloster, Gott geweiht,
Legt oftmals an, der freche Räuber,
Ein härnes Eremitenkleid.
Selbst in des Tempelherren Rüstung
Schlich er sich ein, der Schlaue, dort.
Kinder! Die Ochsen ziehn vorüber,
Thut eure rothen Schürzen fort.

Die Chronik sagt, es gab die Nonne,
Verleitet von der Hölle Macht,
Dem Räuber, bei dem Heil'genbilde
Ein Stelldichein, in dunkler Nacht.
Zur Stunde wo die Raben krächzen
Und sich in Schaaren treiben fort.
Kinder! Die Ochsen ziehn vorüber,
Thut eure rothen Schürzen fort.

Padilla wollte, — Anathema!
Einst, die verstockte Sünderin,
Sich in der Kirche selber geben
Dem Räuber, voller Inbrunst, hin,
Bis zu der Stunde, wo die Kerzen
Erlöschen auf den Leuchtern dort.
Kinder! Die Ochsen ziehn vorüber,
Thut eure rothen Schürzen fort.

Als nun, in's Schiff hinabgestiegen,
Die Nonne dem Banditen rief,
Antwortet ihr statt seiner Stimme
Der Donner, schauerlich und tief.
Gott wollte, daß er niederschlüge
Das Liebespaar des Satans dort.
Kinder! Die Ochsen ziehn vorüber,
Thut eure rothen Schürzen fort.

Es zeigt, den Zorn der Gottheit schildernd,
Der Hirt jetzt noch des Klosters Spur,
Dort, wo der Fels sich abwärts neiget,
Verkohlter Mauern Reste nur.
Zwei Thürme, die die Zeit gespalten. —
Besorgt treibt er die Heerde fort.
Kinder! Die Ochsen ziehn vorüber,
Thut eure rothen Schürzen fort.

Sobald die Nacht des alten Klosters
Weit off'nen Thorweg dunkelt stumm,
So wandeln sich am Horizonte
Die Thürme in zwei Riesen um;
Zur Stunde wo die Raben krächzen
Und sich in Schaaren jagen dort.
Kinder! Die Ochsen ziehn vorüber,
Thut eure rothen Schürzen fort.

Um Mitternacht verläßt die Nonne
Mit einer Ampel ihr Gemach,
Und kriechet längs den alten Mauern,
Ein and'rer Geist folgt still ihr nach.
Sie schleppen Ketten an den Füßen
Und Blöcke schwer am Halse fort.
Kinder! Die Ochsen ziehn vorüber,
Thut eure rothen Schürzen fort.

Die Lampe kommt, verschwindet, glänzet,
Die Mauer sie dem Blick entzog,
Bald scheint sie hinter einem Gitter,
Bald auf dem einen Thurme hoch.
Es folgen ihren trüben Strahlen
Gespenstergleiche Schatten dort;
Kinder! Die Ochsen ziehn vorüber,
Thut eure rothen Schürzen fort.

Die beiden Geister, die die Flamme
Versengt, gehüllt in's Grabgewand,
Sie suchen sich um sich zu einen,
Doch Keines je das And're fand;
Denn ihre Schritte stets verwirren
Sich auf den Treppenstufen dort.
Kinder! Die Ochsen ziehn vorüber,
Thut eure rothen Schürzen fort.

Denn wißt, es ſind gefeite Stufen,
Auf denen ſich ihr Fuß verwirrt;
Das Eine iſt im Grabgewölbe
Indeß das And're oben irrt,
Und unter ihnen ſtets verändern
Sich Treppen und Geländer dort. —
Kinder! Die Ochſen ziehn vorüber,
Thut eure rothen Schürzen fort.

Die Grabesſtimme dumpf erhebend,
So ſuchen ſie, inbrünſtig, ſich
Und wandeln — aber auf den Staffeln
Verirren ſie auf's Neue ſich.
So quälen ſie ſich und ermüden,
Einander ſtets verfehlend dort.
Kinder! die Ochſen ziehn vorüber,
Thut eure rothen Schürzen fort.

Dort an die Fenſter ſchlägt mit Schauern
Gewaltig wild der Regenſturm,
Er pfeift durch des Gewölbes Lücken;
Es wimmert in dem Glockenthurm.
Man höret Seufzer, die erſtarren
Das Blut, unheimlich ſtöhnen dort.
Kinder! Die Ochſen ziehn vorüber,
Thut eure rothen Schürzen fort.

Zwei Stimmen, eine schwach, die and're
Laut, klagen: — „O, wann wird uns Ruh?
Wir leiden ach für uns're Sünden
Doch ewig, das ist immerzu!
Die Stunden selber werden müde,
Das Sandglas drehend, fort und fort."
Kinder! Die Ochsen ziehn vorüber,
Thut eure rothen Schürzen fort.

Die Hölle, ach! kann nicht verlöschen! —
Es suchen sich in jeder Nacht
Ein schwarz Gespenst, ein weißer Schatten,
Auf ihrer schauerlichen Wacht,
Bis zu der Stunde, wo ersterben
Die Kerzen auf den Leuchtern dort.
Kinder! Die Ochsen ziehn vorüber,
Thut eure rothen Schürzen fort.

Wenn zitternd bei dem wilden Lärmen
Zur Nacht ein Wand'rer ängstlich fragt,
Die Engel, mit dem Kreuz sich segnend,
Wen Gottes Rache nur so plagt?
So schreiben plötzlich Flammenschlangen
Zwei Namen auf die Pfeiler dort. —
Kinder! Die Ochsen ziehn vorüber,
Thut eure rothen Schürzen fort.

Sanct Ildefons, der Abt, verlangte,
Daß die Geschichte jederzeit,
Um sie vor Lastern zu bewahren,
Den Jungfrau'n, die sich Gott geweiht,
Besorgt erzähle die Priorin,
An jedes Klosters heil'gem Ort. —
Kinder! Die Ochsen ziehn vorüber,
Thut eure rothen Schürzen fort.

XVI.   16

Inhalt.

Orientalen.

16*

In demselben Verlage sind folgende

empfehlenswerthe Schriften

erschienen

und um beigesetzte Preise durch alle Buchhandlungen zu
beziehen:

J. F. Cooper's

sämmtliche Werke.

126 Bändchen. Geh. Ausgabe auf Druckvelinpapier
Rthlr. 23. fl. 35. 48 kr. rhein. fl. 32. 45 kr. C. M.
Auf Druckpapier Rthlr. 15. 2 gr. fl. 24. 12 kr. rhein.
fl. 22. 36 kr. C. M.

Dieselben enthalten: Der Spion. — Der Letzte der Mohikaner. —
Die Ansiedler. — Der Lootse. — Lionel Lincoln. — Die Steppe. —
Der rothe Freibeuter. — Die Nordamerikaner. — Die Grenzwohner. —
Die Wassernixe. — Der Bravo. — Die Heidenmauer. — Der Scharf-
richter von Bern. — Die Monikins. — Ausflüge in die Schweiz. —
Aufenthalt in Frankreich, Ausflug an den Rhein und zweiter Besuch
in die Schweiz. — England und das sociale Leben der Hauptstadt. —
Erinnerungen an Europa. — Italien. — Die Heimfahrt oder die Jagd.

Washington Irving's

sämmtliche Werke.

Aus dem Englischen übersetzt.

74 Bändchen. Geheftet.

Auf Velinpapier Rthlr. 13. 2 gr. fl. 21. 24 kr. rhein.
fl. 19. 38 kr. C. M. Auf Druckpapier Rthlr. 9.
fl. 15. 6 kr. rhein. fl. 13. 30 kr. C. M.

Dieselben enthalten: Das Skizzenbuch. — Erzählungen eines Reisenden. — Bracebridge-Hall. — Eingemachtes. — Die Geschichte des Lebens

und der Reisen Christoph's Columbus. — Die Eroberung von Granada. — Humoristische Geschichte von New-York. — Reisen der Gefährten des Columbus. — Die Alhambra, oder das neue Skizzenbuch. — Die Reise auf den Prairien. — Abbotsford und Newstead-Abten. — Erzählungen von der Eroberung Spaniens. — Astoria. — Abentheuer des Capitain Bonneville.

Bibliothek

klassischer

Schriftsteller Nordamerika's.

1 — 46 Bändchen.

James Paulding's

amerikanische Romane.

4 Theile. Rthlr. 1. 12 gr. fl. 2. 24 kr. rhein. fl. 2. C. M.

Dieselben enthalten: Wohlauf nach Westen. — Des Holländers Heerd.

In dieser neuen Sammlung, welche nur das Gediegenste der nord-amerikanischen Literatur aufnimmt, zeichnen obige Werke durch die Frische romantischer Schilderungen und durch den rein sittlichen Charakter sich vorzüglich aus.

Der Name Paulding gehört in Amerika zu den gefeierten, und mit Recht nennt man ihn den Lieblingsschriftsteller der Bewohner der neuen Welt. Seine Schöpfungen sind original und national zugleich. Mit Vorliebe schildert er das Leben der Hinterwäldler, die Gefahren und Schrecken der Wildnisse, der Wälder und Ströme, die Einsamkeit der neuen Ansiedler, ihre Kämpfe mit Rothhäuten, Tiegern und Wölfen; die großartige Natur seines Vaterlandes, das Anmuthvolle und Erhabene der Scenerien der neuen Welt u. s. w. Seine Charaktere sind stets anziehend und so mannichfaltig als das Leben sie beut. Die Darstellung ist rasch bewegt, dramatisch, und fesselt stets die Aufmerksamkeit des Lesers. Beachtenswerth ist die moralische Tendenz, welche jedem seiner Romane zum Grunde liegt und um deren willen man seine Werke der Jugend mit Nutzen in die Hand gibt. Der sittliche Adel der Grundsätze unsers Verfassers hat viel zu dem großen Beifall beigetragen, welchen er selbst bei dem ernst-strengen Anglo-Amerikaner fand.

Wir geben die Romane Paulding's in einer geschmackvollen und treuen Bearbeitung nach der ganz neuen, zu Neu-York erscheinen-den Original-Gesammtausgabe. Die übrigen Bände werden rasch folgen.

Herabgeſetzter Preis!

Wegen eingetretener Concurrenz ſehe ich mich veranlaßt die in meinem Verlage erſchienene Ausgabe von

Lord Byron's
ſämmtlichen Werken.

Herausgegeben von

Profeſſor Dr. Adrian.

Mit dem Bildniſſe des Verfaſſers, einem Facſimile ſeiner Schrift und einer Anſicht von Newſteed=Abtey.

8. 12 Bände auf weißem Druckpapier **ohne Stahl= ſtiche.** Von dem ſeitherigen Laden = Preiſe von Rthlr. 6. 18 gr. **auf Rthlr. 4. fl. 7. rhein. fl. 5. 50 kr. C. M. herabzuſetzen.**

Die Preiſe **der Ausgaben mit Stahlſtichen** bleiben **unverändert** wie bisher.

Die Dichtungen Lord Byron's ſind wie überall ſo auch in unſerm deutſchen Vaterlande ſo allgemein und rühmlichſt be= kannt, und die Ueberſetzungen obiger Ausgabe bereits ſo ſehr als gelungen und des großen Dichters würdig anerkannt, — daß ich es für überflüſſig erachte, hier noch Mehreres zur Empfehlung derſelben hinzuzufügen. —

Der Tartar.
Novelle von Guſtav von Heeringen.

2 Theile. Rthlr. 2. 18 gr. fl. 4. 48 kr. rhein. fl. 4. 8 kr. C. M.

Parzen und Eumeniden.

Von
Dr. Gustav Bacherer.

Zwei Bände. Rthlr. 3. fl. 5. 24 kr. rhein. fl. 4. 30 kr. C. M.

Inhalt: Der Zauber=Jüngling von Straßburg. — Der Toten=
gräber von Gürau. — Geister=Rache. — Allemannische Liebe.

Salon deutscher Zeitgenossen.

Politische, literarische und gesellschaftliche Charaktere aus
der Gegenwart.

Von
Dr. Gustav Bacherer.

Erster Theil. 8. Geh. Rthlr. 1. 9 gr. fl. 2. 24 kr. rhein. fl. 2. C. M.

Inhalt: J. von Schlayer. — J. G. von Pahl. — L. Winter.

Bei dem allgemeinen und in stetem Wachsthume begriffe=
nen Interesse, womit die politischen und Culturverhältniße der
Gegenwart das deutsche Gemüth erfüllen, sind wir der Em=
pfehlung eines Werkes, das seinen Inhalt durch diese Verhält=
niße empfangen, billig überhoben; weßhalb wir die Ueberzeu=
gung aussprechen dürfen, daß kein patriotischer und vorwärts=
strebender Deutsche es unterlassen werde, demselben seine ganze
Aufmerksamkeit und Theilnahme zuzuwenden.

Der Jakobsstern.

Eine Messiade von Ludwig Storch. 4 Theile. Rthlr. 6.
18 gr. fl. 11. 45 kr.

Zimmergarten.

Erzählungen in verschiedenen Formen. Von Ludwig
Storch. 1r und 2r Theil. Rthlr. 3. fl. 5. 24 kr.

Druck:
Customized Business Services GmbH
im Auftrag der KNV-Gruppe
Ferdinand-Jühlke-Str. 7
99095 Erfurt